教育の力

苫野一徳

講談社現代新書
2254

目次

はじめに

教育とは何か、そしてそれは、どうあれば「よい」といいうるか。

いうまでもなく、これはひどく難しい問いです。長い伝統をもつ教育学においてさえ、これまで満足のいく答えはほとんど出されてこなかったといっていいほどです。

しかしまた、教育を構想・実践するにあたって、この問いはきわめて重要なものです。これに一定の明確な〝答え〟がなければ、親も教師も、あるいは教育政策を担う人たちも、その指針を見失い、自らの実践を振り返ることが困難になってしまうからです。そして実際、後述するように、とりわけこの数十年、日本の教育政策は、どのように教育をつくっていけば「よい」のかという指針を見失い、右往左往してきた感を否めません。

もちろん、この問いに絶対に正しい答えなどありません。しかしそれでもなお、「なぁるほど、たしかに教育とはこのような営みだし、このような教育なら『よい』といえるな」と、だれもができるだけ深く納得できる〝答え〟は見出せるのではないか、わたしはそう考えています。

そこで本書では、教育の「本質」「原理」を底の底から明らかにし、その上で、これからの教育をどう構想・実践していけばよいか、具体的に論じていきたいと思います。より「よい」学びのあり方や学校空間のつくり方、また、教師のあり方やより「よい」社会を構想するために教育にできることにいたるまで、できるだけ多方面にわたって、これからの教育を具体的に構想していきたいと思います。

社会的な問題を、人はしばしば教育のせいにして語ります。そして、教育をよくすれば社会もよくなるのだと考えます。

しかしそれは、淡いユートピアというほかない考えです。教育もまた、複雑に絡み合った社会機能の、ごく一部を担ったシステムであるにすぎないからです。

あらゆる社会的な問題の解決を期待できるほど、〝教育〟は万能なものではありません。そもそも人間は、意図的な〝教育〟で何とでも育てられるほど、単純な生き物ではありません。

しかしその上でわたしは、あえて、教育にはこれから何ができるのか、その〝力〟を最大限発揮させられるような、教育の構想について論じたいと思います。

その構想・プランは、現在の一般的な学校教育とはおそらく大きく違ったものです。

ポイントは二つあります。

一つは、学びのあり方を、今のような画一的・一斉型のものから、学びの「個別化」「協同化」「プロジェクト化」の融合型へと転換していくこと。

もう一つは、閉鎖的になりがちな学校をさまざまな仕方で開き、子どもたちが多種多様な人たちと交われる空間をつくること。

詳しくは本論で述べますが、学びのあり方も進度も、興味・関心も人それぞれ異なっています。その意味で、画一的・一斉型の学びは、実は非常に効率の悪いものなのです。それゆえわたしたちは、学びをまず徹底的にカスタマイズする必要があります。

しかしそれだけでは全く十分ではありません。わたしたちはこれに、子どもたちの知恵や思考を持ち寄る「協同的な学び」と、それぞれの子どもたちが自らの目的を持って挑戦する「プロジェクト型の学び」を融合する必要があります。学びの「個別化」と「協同化」と「プロジェクト化」は、三つで一体となった学びのあり方なのです。その具体的なあり方については、本論で十分に描いていきたいと思います。

学校を〝開く〟ということについても、本論に先立って少しだけいっておきたいと思います。

学校という閉鎖的な空間に子どもたちを〝囲い込む〟ことは、かつてはとても重要な意義を持っていました。子どもたちがその生まれ育った〝習俗〟を離れ、どんな家庭、どんな地域に生まれても、皆平等に一定以上の教育を受けることができる、ということは、義務教育の重要な本義だったのです。

しかし時代は大きく変わりました。というのも、今ではこの学校が、新たな閉じられた〝習俗〟になってしまっているからです。この閉鎖的な〝習俗〟が、いじめをはじめ、今多くの問題を生み出しています。

閉鎖的な学級文化・人間関係から、より〝人間関係の流動性〟に開かれた学校へ。これがここでのキーワードになります。

読者の中には、「そんなこと本当に可能なの?」と思う方もいるかもしれません。しかしわたしは本書で、それはもちろん可能だし、むしろそうした流れは、すでに一〇〇年以上の理論と実践の蓄積をもとに、今大きく展開し始めているのだということを述べたいと思います。そしてまた、それがなぜこれからの「よい」教育のあり方といえるのか、〝論証〟したいと思います。

教育の世界に身を置いていていつも心苦しく思うのは、みんな善意や熱意から教育を論じ合うのだけれど、ある種独りよがりなそれぞれの〝思い入れ〟や〝思い込み〟がどうしても先走ってしまい、そのために、不毛な対立がいたるところで起こってしまっていることです。

それは時に、〝われわれ〟と〝あいつら〟という、単純な二項対立の様相を呈します。「ゆとり教育、是か非か」「道徳教育の強化、是か非か」「いじめに対する厳罰処置、是か非か」など、教育をめぐるあらゆる問題は、単純な二項対立図式で論じられてしまいやすいものなのです。

こうした二項対立的な問いの立て方を、わたしは「問い方のマジック」と呼んでいます(『勉強するのは何のため?——僕らの「答え」のつくり方』日本評論社、二〇一三年参照)。「あちらとこちら、どちらが正しいか?」と問われると、わたしたちは思わず、「どちらかが正しいんじゃないか」と思ってしまう傾向があるのです。

＊

しかし、教育をめぐる問題（教育だけではありませんが）に、絶対に正しい答えなどまずありません。あちらとこちら、どちらが絶対に正しいかなど、ほとんどの場合、決められるようなものではないのです。肯定派にも否定派にも、それぞれ一定の〝理〟はあるものだからです。この「問い方のマジック」が、これまでどれだけ教育議論を不毛なものにしてきたかは、いくら強調してもしすぎることはありません。

どうすれば、わたしたちはこの不毛な二項対立に陥ることなく、教育を建設的に論じ合い、構想し、実践していくことができるでしょうか？

それはまず、何をおいても、「そもそも何のための教育か？」という問いに、できるだけ共通了解可能な〝答え〟を解明することによってです。個別の論点では時に対立することがあったとしても、この問いに一定の共通了解可能な答えが得られたなら、わたしたちは些末《さまつ》な対立にこだわりすぎることなく、それぞれのアイデアを協力させ合うことができるはずだからです。大きなヴィジョン・指針をある程度共有できたなら、その具体的な方法については、議論を建設的に展開していくことができるようになるはずなのです。そこで本書では、先述したように、そもそも教育とは何か、そしてそれはどうあれば「よい」といいうるかという問いの〝答え〟を、まずは底の底から明らかにするところから議論を始めたいと思います。

＊

本書の内容は、大学や生涯学習社会のあり方を視野に入れつつも、どちらかといえば義務教育段階の教育に焦点を当てたものになっています。しかし、家庭教育や高等教育についてなど、ここで十分展開することのできなかったテーマについても、読者の皆さんの関心に応じて、参照・応用することが可能なものになっているのではないかと思います。どのような教育が「よい」教育か、そして具体的に、それはどう構想・実践していくことができるのか。教育の「原理」から具体的な「実践」のあり方にいたるまで、本書はその考え方の道筋を明らかにするものだからです。

さらに、本書の最後には、これからの教育を構想するための短期的および中・長期的なヴィジョン・プランも具体的に提示していきます。原理から実践のあり方を導き出し、さらにそれを具体的プランにまで落とし込む。その試みの成否について、読者の皆さんのご判断を仰ぎたいと思います。

本書が、教育に何らかの形でかかわっている方たち、あるいは関心をお持ちの皆さんの、実践や思考の羅針盤になりうるとするならば、これ以上に嬉しいことはありません。

序　章　そもそも教育は何のため？

　そもそも教育とは何か、そしてそれは、どうあれば「よい」といいうるのか。本序章では、これからの諸章で教育を具体的に構想・実践するための〝足場〟を明らかにしたいと思います。

「はじめに」でもいったように、この問いに明確な指針が与えられなければ、教育の政策も日々の実践も、右往左往することになりかねません。だからわたしたちは、どうしてもこの問いに、できるだけ皆が深く納得できる〝答え〟を見出す必要があるのです。

一万年の戦争の歴史

　そのためには、迂遠《うえん》なようですが、まず人類の歴史を簡単に振り返ってみなければなりません。というのも、公教育が登場したのは長い人類史上においてまだわずか二〇〇年ほど前のことであり、そしてそれは、まさにその長い歴史を経てわたしたちがついにつくり上げた、人類最大の発明の一つであったからです。以下に述べる公教育登場の歴史や理由をしっかり理解しておくことで、わたしたちは、そもそも公教育とは何なのか、それは本当に必要なのか、もし必要だとするならば、どうあれば「よい」といえるのか、はっきりさせておくことができるだろうと思います。

人類が、それまでの狩猟採集生活から定住・農耕・蓄財の生活へと徐々に移行していくようになったのは、約一万年前のことといわれています。そしてこのいわゆる「定住革命」（西田二〇〇七）「農業革命」は、人類の「進歩」のきっかけをつくった最初の大革命であったと同時に、その後、現代にまでいたる、長い戦争の歴史の始まりであったともいわれています。

蓄財の始まりは、その奪い合いの始まりでもあったのです。人類は約一万年前より、いつ果てるとも知れない戦争の時代に突入しました。哲学者の竹田青嗣《たけだせいじ》は、これを「普遍闘争状態」と呼んでいます（竹田二〇〇九）。

この拡大し長引く「普遍闘争状態」に一定の終止符を打ったのは、歴史上、まず最初は古代帝国の登場でした。エジプト諸王朝、秦《しん》王朝、ローマ帝国など、大帝国の登場が、戦争を抑止し秩序をもたらしました。竹田の言葉をふたたび借りれば、「覇権の原理」が戦争を終わらせたのです。

しかしいうまでもなく、これら帝国もまた、次の新たな帝国に討ち滅ぼされていくことになりました。人間社会は、こうしてきわめて長い期間にわたって、「普遍闘争状態」と「覇権の原理」を繰り返し続けてきたのです。

この繰り返される命の奪い合いを、どうすれば原理的に終結させることができるだろうか？　いつの時代も、これは人類最大の課題の一つでした。

〈自由〉への欲望

二百数十年前、その最も原理的な答えが、ついに近代ヨーロッパにおいて見出されることになります。

それは次のような「原理」でした。

なぜ人間は戦争をやめることができないのか？　それは、わたしたち人間が〈自由〉になりたいという欲望を持っているからだ！

ここでいう〈自由〉への欲望とは、ありていにいうと、「生きたいように生きたい」という欲望のことです。人はだれもが、「生きたいように生きたい」という欲望、つまり〈自由〉への欲望を持っている。近代ヨーロッパの哲学者たちはそう考えました。

そんな欲望、自分にはない、という人も、もしかしたらいるかもしれません。あるいは、「生きたいような生き方」がどんなものか分からない、という人も、きっと少なくないでしょう。

しかしわたしの考えでは、そうした人たちも、やはり「生きたいように生きたい」という欲望をその根本には持っています。というのも、そうした人たちも、一生奴隷のように労働させられるとか、一生いじめられ続けるとか、そんな生き方はしたくない、という欲望なら、きっとあるだろうからです。それもまた、いってみれば、そのような生き方ではない生き方をしたいという、ある種の〈自由〉への欲望です。人それぞれその強度は違っていたとしても、わたしたちは多かれ少なかれ、こうした〈自由〉への欲望、つまり「生きたいように生きたい」という欲望を、その根本に抱えてしまっているのです。

一万年もの間、わたしたちが戦争をなくすことができずにきたのはそのためです。

なぜか？　次のように考えてみると、分かりやすいのではないかと思います。

たとえば動物同士の争いの場合だと、勝敗が決まればそれで戦いは終わります。それはおそらく、動物たちが「生きたいように生きたい」という〈自由〉への欲望を満たすために戦っているというよりは、自然によってそのようにプログラムされているからです。

しかし歴史上、人間は多くの場合、負けて奴隷にされて〈自由〉を奪われるくらいなら、死を賭《と》してでも戦うことを選んできました。奴隷の反乱の例は、歴史上、枚挙に暇《いとま》がありません。現代においても、わたしたちは自由を奪われた人びとの戦い——アメリカの公民権運動や近年の「アラブの春」など——を目撃し続けています。

要するに人間は、自らが生きたいように生きたいという欲望、つまり〈自由〉への欲望を本質的に持ってしまっているがゆえに、この〈自由〉を求めて、相互に争い合い続けてきたのです。

もちろん、戦争の理由は時と場合によってさまざまです。食糧や財産を奪うためだったり、プライドのためだったり、憎しみのためだったり。しかしこれらすべてに、実は〈自由〉への欲望が横たわっているのです。「生きたいように生きたい」からこそ、富を奪い、プライドを守り、憎しみを晴らしたいと思うのです。そして、富を奪われたら奪い返したいと思い、プライドを傷つけられたら傷つけ返したいと思い、憎しみはまた新たな憎しみを生んでいく……。すべて、「生きたいように生きたい」という〈自由〉への欲望のあらわれなのです。

では、わたしたちが本質的に〈自由〉への欲望を持ってしまっているのだとするなら、どうすればこの欲望のせめぎ合いを軽減し、戦いを終わらせ、そして一人ひとりが十全にそれぞれの〈自由〉を達成することができるようになるのでしょうか？

この問題を徹底的に考え抜いたのは、ホッブズ、ロック、ルソーといった哲学者たちです。そしてわたしの考えでは、一九世紀ドイツの哲学者、G・W・F・ヘーゲルによって、ついにその集大成が示されることになりました。

〈自由の相互承認〉の原理

ヘーゲルがたどり着いた結論はこうです。

わたしたちが〈自由〉になりたいのであれば、「自分は自由だ、自由だ！」などと、ただナイーヴに自分の〈自由〉を主張するのではなく、あるいはそれを力ずくで人に認めさせようとするのでもなく、まずはいったん、お互いがお互いに、相手が〈自由〉な存在であることを認め合うほかにない！

どんなに強大な力を持った人も、自分の〈自由〉を人に力ずくで認めさせ続けることは、長い目で見ればほとんど不可能です。人間の腕力など、大きな視野から見れば実はどんぐりの背比べ、といったのはホッブズですが、実際わたしたちは、たとえばどんなに力を持った人であっても、何人かでチームを組んだり知略をめぐらせたりすれば打ち倒せるものです。

どんな帝国も、どんな君主も、その権力を永続化させようとすれば、それを阻む勢力によって必ず打ち倒されてきました。そしてそのたびに、激しい命の奪い合いが繰り広げられてきたのです。

だからこそ、わたしたちは、自分が〈自由〉になるためには、他者の〈自由〉もまた、つまり他者もまた〈自由〉を求めているのだということを、ひとまずお互いに承認し合う必要がある。そしてその上で、相互の納得が得られるように、互いの〈自由〉のあり方を調整する必要がある。そうでなければ、わたしたちは互いに自分の〈自由〉をただナイーヴに主張し合い続けるほかなくなって、いつまでたっても「自由をめぐる闘争」を終わらせることはできないだろう。ヘーゲルはそう主張したのです。

これを〈自由の相互承認〉の原理といいます(竹田二〇〇四、苫野二〇一一)。わたしの考えでは、今なお最も根本的な、社会の「原理」というべき考え方です。

もちろん、この原理を完全に実現するのはきわめて困難なことです。実際、この原理が近代哲学者たちによって見出されてから二〇〇年、人類は今もなお、凄惨《せいさん》な命の奪い合いを続けています。

しかし、それでもなお、わたしたちが互いの命を奪い合うことをやめ、自らができるだけ生きたいように生きていけるようになるためには、この〈自由の相互承認〉の原理を共有し、そしてこの原理を、どうすればできるだけ実質化していけるかと問うほかに道はないはずなのです。

これが、人類一万年の争いの歴史を経て、わたしたちがついにつかんだ社会の「原理」です。

〈自由〉とは何か

以上から、〈自由〉とは、〝やりたい放題〟〝わがまま放題〟ができることという、一般的なイメージとはずいぶんと違ったものであることが分かると思います。そこで本書ではこれを〈自由〉と山カッコつきで書くことにして、わがまま放題ができることという意味での「自由」とは、区別しておくことにしたいと思います。

では〈自由〉とはいったい何か。ヘーゲルの考えを参考にして、次のようにいいたいと思います。

たしかに、わたしたちには多かれ少なかれ、わがまま放題をしたいという欲望があるでしょう。しかしそのようなわがまま放題の状態を、わたしたちは〈自由〉というわけにはいきません。というのも、わたしたちのわがままは、多くの場合、他者の〈自由〉を侵害することになり、その結果、相手の攻撃を招いたり争いになったりと、かえって自らの〈自由〉を失うことになってしまうからです。先述したように、人類の戦争の歴史とは、まさにこの剝き出しの〈自由〉の争いの歴史だったのです。

それゆえ〈自由〉とは、自らが〈自由〉に生きるためにこそ、他者の〈自由〉もまた承認する必要があるのだということを、徹底的に自覚するところにあるのです。〈自由の相互承認〉を十分に自覚した上で、自らができるだけ生きたいように生きられること、これが〈自由〉の本質、〈自由〉に生きるということの本質なのです。

〈自由〉と〈自由の相互承認〉を実質化する

この〈自由の相互承認〉の原理が理解されてはじめて、わたしたちは、公教育がいったい何のために発明されたのか、理解することができるようになります。

社会を〈自由の相互承認〉の原理に基づいてつくっていくこと。これだけが、「普遍闘争状態」を終わらせ、わたしたち一人ひとりの〈自由〉をできるだけ十全に達成させることができる根本条件でした。

ではこの原理を、わたしたちはどうすれば、できるだけ現実のものとしていくことができるのでしょうか？

最も重要な最初のステップは、「法」を設定することです。法によって、すべての市民が対等に〈自由〉な存在であることを、まずは理念的に保障するのです。

しかしそれだけでは十分ではありません。どれだけ法ですべての市民が〈自由〉であることが保障されたとしても、個々人が実際に〈自由〉になるための〝力〟を得ることができなければ、法の存在も有名無実にすぎないからです。

公教育はここに登場するのです。

つまり公教育は、すべての子ども〈人〉が〈自由〉な存在たりうるよう、そのために必要な〝力〟——わたしはこれを〈教養＝力能〉と呼んでいます——を育むことで、各人の〈自由〉を実質的に保障するものなのです。そして後述するように、そのことで同時に、社会における〈自由の相互承認〉の原理を、より十全に実質化するためにあるのです。

生存・思想・良心・言論の自由や、職業選択の自由など、基本的自由権が法によってどれだけ保障されていたとしても、自ら生存する力、言葉を交わす力、職業に就く力などがなければ、それは絵に描いた餅にすぎません。したがって公教育は、すべての人びとが〈自由〉に生きられるための〈教養＝力能〉を育むという、そのような本質を持ったものとして登場したのです。

もっとも、歴史的にいって、この公教育の「本質」が実際に十全に目指されたことは、残念ながらあまりありませんでした。日本についていえば、公教育制度は、周知のように富国強兵のために明治政府によって取り入れられたものです。公教育は文字通り、「国のため」という性格を強く持ったものとして登場したのです。

しかしそれでも、わたしたちは、公教育は本来、個々人が〈自由〉になるためのものとして、そしてそのことで同時に、社会における〈自由の相互承認〉の原理もまたより実質化されるようなものとして（哲学者たちによって）構想されたのだということを、今こそ改めて知っておくべきです。このことこそが、今わたしたちが立ち戻るべき、そもそも公教育とは何かという問いに対する〝答え〟であるからです。

公教育とは何か。以上から、わたしはその答えを次のように定式化しています。すなわち、「各人の〈自由〉および社会における〈自由の相互承認〉の、〈教養＝力能〉を通した実質化」。つまり公教育は、すべての子どもに、〈自由〉に生きるための〝力〟を育むことを保障するものであると同時に、社会における〈自由の相互承認〉の土台となるべきものなのです。

相互承認の感度

それゆえ、公教育によって育まれるべき〈教養＝力能〉は、読み書き計算をはじめとするいわゆる「学力」だけではありません。

〈自由〉に生きるためには、他者の〈自由〉もまた認めることができなければなりません。したがって公教育は、子どもたちの裡《うち》に、この〈自由の相互承認〉の〝感度〟もまた、重要な〈教養＝力能〉として育んでいく必要があるのです。

公教育が発明される前の身分社会においては、人びとは時として、身分が違えば相手を同じ人間だと思うことさえありませんでした。それが今日、わたしたちが曲がりなりにも、どんなに価値観の違う人でも、肌の色や言葉が違っても、障害があっても、皆同じ対等な人間同士であると思うことができているのは——つまり〈自由の相互承認〉の〝感度〟を一定程度身につけているのは——文字通り学校教育のおかげなのです。

もっとも、一口に「承認」といっても、とりあえず他者の存在だけは認める、といったものから、激しく称賛することにいたるまで、ずいぶんと幅があります。ここでいう〈自由の相互承認〉の〝感度〟は、どちらかといえば、激しく称賛するというよりは、他者の存在をまずは認める感性・態度のことと考えておいていいでしょう。たとえ価値観や感受性がひどく異なっていたとしても、それが自分や他者の〈自由〉を著しく侵害するのでない限り、承認する。好きになれなかったり、共感することができなかったとしても、そのことを理由に相手を否定したり攻撃したりするのではなく、ひとまず承認はする。教育は、子どもたちにこのような〝感度〟を育むことで、〈自由の相互承認〉を原理とした社会を実質化していく使命を担っているのです。

これは別に、高尚にすぎる理念であるわけでも、哲学者たちの机上の空論であるわけでもありません。わたしたちが学校生活や日常生活を通して、実はある程度自然に身につけているものなのです。

保育園や幼稚園の子どもたちでさえ、この「相互承認の感度」を経験を通して自ら学んでいます。最初は、「おもちゃ貸ーしーてー」「だーめーよ」と、互いに押しのけ合っていた子どもたちも、やがて、お互いの存在を認め調整し合わなければ、自分の〈自由〉もまた失ってしまうことに気がつきます（もちろん自由がどうのなどと考えているわけではありませんが）。お互いが気持ちよく生活できるためにこそ、まずはお互いに認め合い、その上で調整し合う。そのような〝知恵〟を、子どもたちは自ら育んでいるのです。

教育は、そうした子どもたちの自然に育まれる「相互承認の感度」を、より十全に、そして自覚的に、育んでいく必要があるのです。

改めていっておきたいと思います。

〈自由の相互承認〉だけが、わたしたちが〈自由〉に、そして平和に共存するための最も根本的な社会原理です。そしてだからこそ、わたしたちはその〝感度〟を、すべての子どもたちに育んでいく必要があるのです。もしこの〝感度〟をだれも持っていなければ、わたしたちの社会はふたたび「万人の万人に対する闘争」（ホッブズ）へと舞い戻ってしまうだろうからです。

〈自由の相互承認〉は、いわれてみれば当たり前の、そしてふだんは空気のように意識されない社会の原理です。しかし社会は、そして教育は、つねにこの原理に自覚的に立脚して構想・実践されなければならないのです。

さて、しかし、たしかに学校は本来〈自由の相互承認〉の感度を育む場所であるべきなのですが、現実には、残念ながらむしろこの感度を掘り崩す場所にもなってしまっている側面があります。いじめ、体罰、空気を読み合う人間関係……。〈自由の相互承認〉の土台であるべき学校が、むしろ逆に、相互不信の土台になってしまっている側面もあるのです。

こうした問題をどう克服し、学校を〈自由の相互承認〉の土台という公教育の本来の目的に適うものとしていけるか。この点については、続く諸章、特に第Ⅱ部で、じっくり考えていくことにしたいと思います。

「社会のためか、子どものためか」を乗り越える

以上のことが理解されれば、公教育の登場以来、今日にいたるまで続けられてきた、次のような激しい対立・論争を解消することができるようになります。

教育は社会（国）のためのものか、それとも子どものためのものか、という対立です。

たとえば戦後の日本では、「保守」と「左派」による、このテーマをめぐる激しい争いがありました。「道徳教育を通して愛国心を育もう」と主張する「国（社会）のため」派の保守に対して、「子どもたち一人ひとりの価値観を大切にしなければならない」と、「子ど

ものため」派の左派が主張する。あるいは、「知識は教え込むべきだ」と主張する保守に対して、「子どもたち一人ひとりの興味や関心を活かさなければならない」と左派が対立する。いずれの例も、「社会」か「子ども」かをめぐる、ある種、古典的な対立でした。

しかしこれは、「はじめに」で述べた典型的な「問い方のマジック」です。「教育は社会のためのものか、それとも子どものためのものか？」と問われると、わたしたちは思わず、「どちらかが正しいのではないか」と思ってしまう傾向があるのです。

しかし繰り返しますが、教育に限らず、とりわけ何らかの価値をめぐる問題に、あちらかこちらか、どちらかが絶対に正しいなどということはまずありません。そして先ほどの公教育の「本質」が理解されれば、この対立・論争は、あっけないほど簡単に解くことができるようになるのです。

身もふたもないいい方をするなら、それはどちらのためのものでもあるのです。より正確にいえば、両者は支え合う関係にあるのです。

子どもの側からみれば、公教育は自らの〈自由〉を実質化してくれるものです。あるいはそのようなものとしてつくられるべきものです。読み書き算などの力や、〈自由の相互承認〉の感度を身につけることが、子どもたちが社会において〈自由〉な存在として承認され、自らの〈自由〉な生を営んでいくための最も重要な出発点になるのです。

他方、社会の側からみれば、公教育は、すべての子どもたちの〈自由〉を保障することで、そしてまた、すべての子どもたちに〈自由の相互承認〉の感度を育むことで、〈自由の相互承認〉に基づく社会をより豊かに実質化していくものという意義を持ちます。公教育は、法で理念的に保障されたこの〈自由の相互承認〉の原理を実質化するための、最も重要な制度の一つなのです。

とすれば、わたしたちが考えるべきは、教育は子どものためか社会のためか、などという偽問題ではなく、どうすれば各人の〈自由〉をより実質化することができるのか、そしてさらにそのことを、社会における〈自由の相互承認〉の原理の実質化へとつなげていけるのか、という問いになるはずです。そしてこの観点こそが、教育を構想し実践していく際、いつでも根底に置かれておくべき最も重要な視座なのです。

〈一般福祉〉の原理

以上、そもそも教育とは何か、という問いの答えとして、〈自由〉と〈自由の相互承認〉というキーワードを挙げて論じてきました。

教育は、〈自由の相互承認〉の感度を育むことを土台にして、すべての子どもが〈自由〉になるための〈教養＝力能〉を育むためのものです。別のいい方をすれば、このことを十分に実現させられる教育をこそ、わたしたちは「よい」教育ということができるのです。

もちろんこれは、まだまだ抽象的ないい方です。ですから、この抽象的な「原理」に基づいて、これをいかに具体的・現実的なものにしていけるか、わたしたちは考えていく必要があります。次章以降のテーマは、まさにこの具体的・現実的な教育のあり方を明らかにしていくことにあります。

しかしその前に、もう一つ、ここで〈一般福祉〉というキーワードを挙げておきたいと思います。

これは、「社会政策」としての公教育の「正当性」、つまり、どのような教育政策であれば「よい」といえるかという問いに対する〝答え〟です。

その意味するところはきわめて単純です。教育政策は、ある一部の人(子ども)たちだけの〈自由〉を促進し、そのことで他の人(子ども)たちの〈自由〉を侵害するものであってはならず、すべての人の〈自由〉を促進している時にのみ「正当」といえる。これが〈一般福祉〉の原理です。

社会の原理が〈自由の相互承認〉をおいてほかにないとするならば、これはほとんど自明のことといっていいでしょう。たとえば、もし学校教育が、都市部の子どもたちには有利なものとして、他方、農村部の子どもたちには不利なものとして、そのことの十分な「相互承認」が得られないままつくられていたとするならば、それは〈自由の相互承認〉の社会原理に反した政策といわなくてはならないでしょう。

いわれてみれば（いわれなくても）、当たり前のことです。しかしこの当たり前のことが、実はこれまで長らく忘れ去られてきたのです。

詳しくは第八章で述べますが、この数十年、いわゆる新自由主義教育改革と呼ばれる改革が進められてきました。そしてこの改革を推進した人たちの中には、早い段階から「できる子」と「できない子」を振り分け、「できる子」により多くの教育投資をすることで、この国を引っ張っていってもらおうという思想を持った人たちが、少なからずいたといわれています。それで国が豊かになれば、「できない子」たちもその〝おこぼれ〟にあずかって、それなりの生活を送ることができるようになるだろうというのです（斎藤二〇〇四）。「トリクルダウン理論」と呼ばれる考えですが、ここには〈一般福祉〉の考えが、残念ながらほとんど見られないといわざるを得ません。「できない子」とされた子どもたちが、たとえ将来〝おこぼれ〟にあずかることができたとしても、早い段階から教育の質の機会に差をつけてしまう政策は、まさに一部の子どもたちだけの〈自由〉を促進し、他の子どもたちの〈自由〉を侵害する政策だといわざるを得ないからです。

しかしまた一方で、新自由主義とはある意味真逆の、「絶対平等」を掲げる政策もまた、〈一般福祉〉の観点からすれば極端にすぎるというべきでしょう。いわゆる「結果の平等」を重視するあまり、たとえばすぐれた学力を持った子どもたちの、より以上の学びの保障を過度に拒むような教育政策は、やはり一部の子どもたちの〈自由〉のために、他の子どもたちの〈自由〉を侵害する政策だといえるでしょう。

もちろん、何をもって〈一般福祉〉が達成されたといえるかの、絶対的な基準はありません。それはつねに、教育政策や教育にかかわる人たち、そして一般の人びとの議論に開かれているべき論点です。

しかしだからこそわたしは、この〈一般福祉〉という概念を、概念（言葉）として提示しておくことが重要だと考えています。というのも、この言葉を得たことによって、わたしたちは教育政策のよしあしを論じ合う時、「それは本当に〈一般福祉〉に適っているといえるのか？」とか、「この政策はどういう意味で〈一般福祉〉に適っているのか？」とかいった具合に、議論の足場を得ることができるようになるからです。

近年、「平等か競争・多様化か」という議論がしばしば繰り広げられています。教育の平等を守り抜け、と主張する人たちと、子どもたちを早い段階で能力別に選別し、それぞれの能力に応じた多様な教育を行うべきだと主張する人たちの対立です。

しかし、「平等か競争・多様化か」という問いの立て方をする限り、この議論に決着をつけることはできません。それはお互いに自分の思想・信条をただぶつけ合うだけの、非生産的な議論になるのがオチだからです。

しかしこの対立もまた、わたしの考えでは、〈一般福祉〉の原理を導入することで一定解消することが可能です。この原理を底に敷けば、わたしたちは、〈一般福祉〉を達成するために、教育にはどのような「平等」が必要か、そして、どのような「競争」や「多様化」を容認あるいは促進すべきといえるのか、と問い合うことができるようになるからです。〈一般福祉〉の原理は、教育政策の正当性を考え合う際の、いわばメタレベルの視座なのです。

平等と競争・多様化

そこで以下、〈一般福祉〉を達成するための「平等」と「競争・多様化」のバランスについて、少し考えておくことにしたいと思います。

まず、「教育の機会均等」は、どうしても守らなければならない「平等」というべきです。どんな家庭に生まれても、どんな地域に生まれても、必ずだれもが一定水準以上の教育を受けることができるということは、〈自由の相互承認〉の原理に基づく限り決して欠いてはならないことです。もしそこにひどい不平等があって、恵まれない環境に不満をためた人たちが増えていったとするならば、〈自由〉を求める深刻な争いがふたたび起こらないとも限りません。

義務教育が終わる時点で、すべての子どもたちが、一定以上の学力や〈自由の相互承認〉の感度を必ず身につけている、という意味での平等も必要でしょう。この「一定以上」をどう設定するかは難しい問題ではありますが、今の日本ではとりあえず、学習指導要領がその保障の根拠になっています。画一的な学習指導要領なんてなくしてしまえ、という議論はよく聞かれますが——そしてわたし自身、後述するように指導要領はゆくゆくはもっと弾力化していった方がいいと考えていますが——こうした積極的な価値もあるのだということについても、十分自覚しておくべきです。すべての子どもたちに〈自由〉になるための力を最低限必ず保障する、それが公教育（学校）の重要な使命なのです。

ただ一方で、障害や病気などのために、みずからの〈自由〉を十分育んでいくことがどうしても難しい子どもたちもいます。

その場合は、教育に加えて、社会福祉がそうした子どもたちを支える必要があります。法、教育、そして福祉、これらがセットになって、すべての子どもたち、そしてすべての人びとが、相互承認を土台として〈自由〉に生きていけるよう、わたしたちの社会はつくられていなければならないし、またつくっていく必要があるのです。

以上のように、学校教育（義務教育）の入り口において、その機会を均等にするということ、そして出口において、〈自由〉のための最低限の力を必ず保障するということ、この二つの「平等」は、〈自由の相互承認〉の原理に基づく限り、なくてはならないものです。つまり、この二つの「平等」を十分達成している教育政策を、わたしたちは最低限〈一般福祉〉に適った教育政策ということができるのです。

「競争・多様化」の方はどうでしょう？

先述した二つの平等を、まずはより掘り下げて考えてみることにしましょう。

どれだけ学校が最低限の〈教養＝力能〉を保障する必要があるといっても、子どもによっては、障害その他の理由から、それを達成することが難しい場合もあります。その時は、より手厚い多様な教育の機会を用意し支えることで、「平等」をできるだけ保障していく必要があるでしょう。

これは、経済学者・哲学者のアマルティア・センがいうところの、「ケイパビリティ・アプローチ」に基づく考えです。人はそれぞれ、障害を抱えているとか貧困家庭に育ったとか、抱えている初期条件が異なっています。それゆえ、それぞれの人たちの置かれた状況・条件・ケイパビリティ（潜在能力）に応じて、平等のためのアプローチを多様に変えていく必要があるのです（セン二〇〇〇、二〇〇六）。何でもかんでも〝同じ〟にすることが、教育の〝平等〟というわけでは必ずしもないのです。

となると、ここへ来て、「平等」と「多様化」とがリンクし始めることに気がつかれたのではないかと思います。わたしたちは、「平等」のためにこそ、「多様」な手段を取る必要があるのです。つまり、義務教育の入り口における「教育の機会均等」と、出口における「〈教養＝力能〉の獲得保障の平等」を達成するためであれば、そのための方法は多様でありうるし、またあるべきだということです。

また他方、右に述べてきたことさえ保障されていれば、公教育においても、ある程度の

「多様化」や「競争」は容認されていいということにもなるでしょう。

とすれば、〈一般福祉〉のために求められる「平等」と「競争・多様化」のバランスを、わたしたちはさしあたり次のようにいうことができるようになります。

必要な「平等」は、「教育の機会均等」および「〈教養＝力能〉の獲得保障の平等」です。他方で、必要かつ容認されうる「多様化」は、この平等を達成するための方法と、この平等達成以降の教育の多様性であり、またこれら二つの平等を保障する限りにおいては、「競争」も一定容認されうるといえるのです。

ただし大急ぎでいっておかなければなりませんが、とりわけ義務教育段階における「競争」——（過度の）学力競争や学校間競争など——は、この二つの平等を侵害する可能性がきわめて高いため、基本的にはやめた方がいいとわたしは考えています。この点については第三章で詳述します。

いうまでもなく、以上の議論は、政策論へと展開するためにはより具体的に論じられる必要があるものです。しかし、わたしたちは、「平等か競争・多様化か」という議論については、右のような仕方でひとまず大筋の決着をつけておくことができるのではないかと思います。

「原理」の重要性

以上、そもそも何のための教育か、そして、「よい」「正当な」教育とは何かという問いに〝答え〟を与えてきました。

「はじめに」でもいったように、今日、教育議論は、教室レベルから行政レベルにいたるまで、さまざまなテーマをめぐって激しい対立や混乱を続けています。

なぜか？　それはまさに、この最も原理的な視座――〈自由〉および〈自由の相互承認〉の実質化、そして〈一般福祉〉という視座――が欠けているからです。何のための教育なのか、教育はどうあれば「よい」といいうるのかという、一番根本的な問いの答えが見失われているからです。

繰り返しますが、公教育の原理（目的）は、「各人の〈自由〉および社会における〈自由の相互承認〉の、〈教養＝力能〉を通した実質化」です。別言すれば、このことを十分に実現させられる教育をこそ、わたしたちは「よい」教育ということができるのです。そしてそのことが分かれば、わたしたちは、ではこの「原理」にのっとって、これからどのように教育を構想・実践していくことができるかと、具体的に考えていくことができるようになるのです。

ちなみに、ここでいう「原理」とは、いうまでもなく絶対の「真理」という意味ではなく、教育とはそもそも何か、それはどうあれば「よい」といいうるかという問いに対する、共通了解可能な〝考え方〟のことです。

「原理」と聞くと、どこか迂遠で実践からは遠いイメージがあるかもしれません。しかしこれまで述べてきたように、この「原理」が不明確だと、わたしたちの教育議論や教育構想・実践は、いつまでもどこかふわふわした、非本質的・非建設的なものであり続けてしまいます。教育を具体的・実践的に考えていくためにこそ、わたしたちには「原理」、つまり思考の足場が必要なのです。

東京都杉並区教育委員会・済美教育センターの調査研究室長を務めている山口裕也《やまぐちゆうや》氏が、かつてある鼎談《ていだん》でわたしに次のように話してくれたことがあります。

わたしたちが、3＋5＝8とか、21＋35＝56とか、別におはじきを使って数えなくてもすぐに計算できるのは、〝加法の原理〟を身につけているからだ。だからこそ、どんな足し算でもこの原理にのっとって計算することができる。それと同じで、教育を構想・実践していく際にも、〝公教育の原理〟が身についていると、個々具体的な場でどのように考えればいいか、ある程度見通しがつくようになる。少なくとも、大きくブレることがなくなる。それは、何万人もの子どもたちに影響を与える教育政策の一端を担う者として、とても意義深いことだ、と（山口・苫野・西條二〇一一）。

「目的・状況相関的方法選択」の原理

そこで次章以下では、これまでに述べてきた公教育の「原理」を土台に、そしてつねにここに立ち返りつつ、具体的に「よい」教育のあり方を構想・提言していきたいと思います。

しかしその前に、本序章の最後に、そうした具体的な教育のあり方を考えていくにあたっての、その考え方の「原理」について論じておきたいと思います。

「はじめに」でもいったように、教育のあり方・方法に、絶対に正しいものなどありません。それは「目的」を達成するために、「状況」に応じて使い分けたり組み合わせたり、新たにつくり上げたりするべきものです（西條二〇〇九参照）。わたしはこれを、「目的・状況相関的方法選択」と呼んでいます。教育の方法は、目的と状況に応じて柔軟に選択・創造すればいいし、またそうする必要があるのです。当たり前であるはずなのに、あまりにしばしば忘れ去られてしまいがちな、教育のあり方をめぐる考え方の「原理」です。

いつの時代にも、教育界にはさまざまな方法論の激しい対立が渦巻いてきました。学力向上のためにはドリル学習こそが重要だ、と主張する人たちと、むしろそれこそが子どもたちから学ぶ意欲を奪っているのだと主張する人たちとの対立、子どもたちの「学び合い」こそが重要だと主張する人たちと、むしろ教師の授業力をこそ向上させねばならないと主張する人たちとの対立など、数え上げればきりがありません。

適切で建設的な相互批判はもちろん重要ですが、時に好き嫌いのレベルで繰り広げられることもあるこうしたさまざまな対立については、いい加減、対立から相互補完的な関係へと、次の一歩を踏み出した方がいい、そうわたしは思います。どちらの方法が正しいかをめぐって争うのではなく、教育の目的を達成するために、状況に応じて、それぞれの方法をどう選択したり組み合わせたり、補完し合ったりすればいいのか、わたしたちはそう考える必要があるのです。

今、わたしたちは教育の最も根本的な「目的」を手に入れました。それは、すべての子どもたちに、〈自由の相互承認〉の感度を育むことを土台に、〈自由〉になるための〈教養=力能〉を育むことです。とすれば次にわたしたちが考えるべきは、ではこの「目的」を達成するために、現代という「状況」においては、そしてその時々の子どもたちや学校の「状況」においては、どのような教育のあり方が最も妥当かつ有効かという問いになるはずです。

この「目的・状況相関的方法選択」の原理は、「〈自由〉および〈自由の相互承認〉の実質化」という教育の原理に加えて、次章以降で具体的な教育のあり方を考えるにあたり、折に触れて思い起こしていただきたい考え方の「原理」です。これから、学びのあり方や学校のあり方等、さまざまなテーマについて具体的に論じていきますが、ここでわたしが論じるアイデアの数々は、いうまでもなく絶対に正しいアイデアというわけではありません。しかしそれでもなお、現代という時代「状況」においては、相当に妥当かつ有効なアイデアといえるのではないかと考えています。その点、読者の皆さんに、じっくり検討・検証していただければと思います。

しつこく何度も繰り返しますが、以下で具体的・実践的な教育のあり方を考えるにあたって、わたしたちはつねに、本序章で論じてきた教育の「原理」(目的)を底に敷きながら考えを練り上げていかなければなりません。どうすれば、すべての子どもたちの〈自由〉を実質化し、そしてそのことを、社会における〈自由の相互承認〉の原理の実質化へとつなげていけるのか、このことをつねに念頭に置きながら、状況に応じて最も妥当かつ有効な実践のあり方を考えていく。この根本的な考え方を底に敷いてはじめて、わたしたちは、地に足の着いた、そして実りある教育議論を重ねていくことができるようになるのです。

それではいよいよ、「よい」教育を具体的にどう構想・実践していくことができるか、本書の中心テーマへと話を進めていくことにしましょう。

第Ⅰ部　「よい」学びをつくる

第一章　「学力」とは何か

本第Ⅰ部では、より「よい」学びをどのようにつくっていくことができるか、考えていくことにしたいと思います。

この問いに答えるためには、前章で述べた〈教養＝力能〉とはそもそもいったい何なのか、まずその内実を明らかにする必要があります。そうでなければ、それをどう育むことが「よい」、あるいは「有効」といえるのか、はっきりしないからです。

そこで、まずは（公）教育が育むべき〈教養＝力能〉とはいったい何か、以下で明らかにしたいと思います。

序章で述べたように、それは最も根本的には、一人ひとりの子どもたちが〈自由〉になる、つまりできるだけ「生きたいように生きられる」ようになるための〝力〟のことです。

ではこの〝力〟、具体的には何を表すのでしょうか。

さしあたり、大きく次の二つに焦点化することができるだろうと思います。

一つは、いわゆる「学力」、もう一つは、序章でも述べた「相互承認の感度」です。いうまでもなく、学校は「学力」を育むための場として存在しています。しかしそれだけでなく、前章で論じた通り、学校は「相互承認の感度」をすべての子どもたちに育むためにも存在しているのです。

そこで、まず本章では、前者のいわゆる「学力」とはいったい何なのか、その本質を取り出してみたいと思います。もう一つの「相互承認の感度」をどう育むかについては、第Ⅱ部でじっくり掘り下げることにしましょう。

「学力」概念の混乱

ところで、この「学力」という日本語独自の言葉ですが、教育学においても膨大な研究や議論の蓄積があるものの、いまだに使う人によって込める意味がバラバラで、いつも議論を混乱させる要因になっているのが現状です（石井二〇一〇参照）。

一九九〇年代後半から論争が起こり、一時は「国家の危機」とまでいわれたいわゆる「学力低下」問題も、論者によって何を「学力」と捉えるかにズレがあり、長い間嚙《か》み合わない議論が続きました。学力を、いわゆる「知識量」とするか「問題解決能力」とするか、はたまた「学習意欲」も含んだ概念とするかによって、「学力低下」と呼ばれた現象をどう捉えるか、まったく異なる見解が生じることになったのです。

たとえば、一九九八年改訂の学習指導要領で「教育内容の三割削減」が打ち出され、その後いわゆる「ゆとり教育」批判が過熱することになりましたが、学力を「知識量」と捉える立場からすれば、当然それは「学力低下」を生むと危ぶまれることになります。しかし、学力を「問題解決能力」と捉えるもう一方の立場からすれば、知識量それ自体の減少は、それほど大した問題ではないということになります。どうせすぐに忘れてしまうような細かな知識をため込むより、必要なのは自ら思考する力なのだ、というわけです。

ここではこうした「学力低下論争」がどのように起こり、どう展開したかについては触れませんが（詳しく知りたい方は市川二〇〇二などを参照）、ともかく以上のように、学力をどう捉えるかについては、今日にいたるまで十分な決着はついていないといっていいように思われます。むしろ教育学者の佐藤学《さとうまなぶ》氏も指摘しているように、「どのような学術的研究においても『学力』を一義的に定義することは不可能」（佐藤二〇〇九a、一三頁）と考えた方がいいのかもしれません。

しかしそれでもなお、わたしたちは、「学力」と呼ばれるものについてのできるだけ共通了解可能な考え方を見出しておく必要があります。そうでなければ、学力論（争）は、いつまで経ってもそれぞれの立ち位置から抜け出せない、非建設的なものであり続けるほかなくなってしまうからです。学力観の多様性を認めた上で、「現代という時代はどのような学びを学校に要請しているのか」（前掲書、同頁）という観点から、わたしたちは学力を論じ合っていく必要があるのです。

序章の最後に、「目的・状況相関的方法選択」について述べました。まさにわたしたちは、公教育の目的――各人の〈自由〉および社会における〈自由の相互承認〉の実質化――を達成するために、現代という時代状況を十分把握した上で、今日における学力の本質とその育み方について考えていく必要があるのです。

知識基盤社会

では、「現代という時代」を、わたしたちはどう捉えればよいのでしょうか？　そしてそこにおいて求められている「学力」「学び」とは、いったいどのようなものなのでしょう？

二一世紀の先進国は、「知識基盤社会」「高度知識社会」であるといわれています。モノの大量生産・大量交換が主流の産業社会から、知識・情報・サービスが中心の、ポスト産業主義へと移行を遂げた社会です。

産業主義の時代、企業の従業員の多くに求められていたのは、少し奇妙ないい方ではありますが、企業によってある意味「訓練されやすい」力だったといえます。一部の経営者層の指示の通りに、大多数の労働者層の人びとが、商品を大量に生産し流通させる。それが産業主義社会における基本的な労働のあり方でした。それゆえ、経済社会の人びとの多くに求められていたのは、ある意味では、与えられた仕事をいわれた通りにこなす力だったといえるのです。

とすれば、決められた学習内容を決められた通りにこなし、その成果を受験で競うという教育のあり方にも、ある種の合理性があったといえるかもしれません。極端にいえば、企業は学校で「何を学んだか」よりも、むしろ忍耐強く勉強する姿勢の方を求めていたのです。

しかしポスト産業社会の今日、事情は大きく変わりました。すでにさまざまな商品が社会に行き渡っているポスト産業社会においては、企業はただ商品を大量生産するのではなく、さまざまなサービスや付加価値を見出し続けなければなりません。経済のグローバル化に伴って、さまざまな局面での国際競争も激化しています。さらには、株主、顧客、従業員、地域社会の人びとなど、多様な声を聞き入れるとともに、環境問題や慈善事業への貢献など、社会的役割も求められるようになっています。

こうした現状においては、企業が従業員に求める〝力〟は、多くの場合もはや受け身の「訓練されやすさ」ばかりではありません。次々と新しい情報やサービスが求められるこのポスト産業社会においては、従来のように知識を「ため込む」力より、自ら考え自ら学ぶ力を持った〝人材〟が、これまで以上に必要とされているのです。

それは必ずしも大企業に限った話ではありません。急激な時代の変化の渦中にあっては、どのような企業も、多かれ少なかれ、この変化に柔軟に対応することが求められているのです。

社会学者の渡辺聰子《わたなべさとこ》氏は次のようにいっています。

> 二〇世紀初頭の多くの組織においては、経営者は決定し命令を下す人、これに対し、労働者は命令に従う人という役割分担が明確であった。しかしこうした組織管理が前提としていた一枚岩的な経営者層（所有者から委託された絶大な自由裁量の権限

を持つ）と一枚岩的な労働者層（ただ命令を受けるだけで独自の意思決定力を持たない）の二極分裂と両者間の明確な利害対立の構図は、もはや現代の企業組織には適用されることができなくなった。

なぜなら、企業内の様々な階層相互間の利害関係は、ますます多面的かつ複雑なものになっているからである（渡辺・ギデンズ・今田二〇〇八、一八頁）。

渡辺氏は、近年における企業組織のシステムの変化を、「支配モデル」から「協働モデル」へと呼んでいます。もちろん純粋な「協働モデル」が適用される組織は、非営利組織や草創期におけるベンチャー企業など、それほど多くはないでしょう。しかし全体として、今や多くの企業は、従業員にただ命令を与えるだけの組織から、それぞれの力を協同することで成果を出そうとするモデルへと移行しているのです。

それはつまり、今日《こんにち》、企業に勤める多くの人たちは、いわれたことをいわれた通りに忠実に遂行するだけでなく、その場その場において、自ら考え、そして絶えず「学び続ける」ことを求められているということです。

しかしその一方で、今日、多くの企業は、長期にわたる人員削減におよんでおり、また比較的安定した正規雇用の割合を減少させ、パートタイム雇用者や期間雇用者の割合を増やし続けています。この問題はきわめて深刻で、特に若者の失業率の高さや不安定な雇用は、これからの社会基盤を揺るがす大きな問題です。解決に向けた、真剣な努力が必要です。

ともあれいずれにせよ、今日わたしたちの多くは、どのような立場にあったにせよ、絶えず「学び続ける」ことができなければならない境遇に置かれているのです。現代にあっては、同じ会社にずっといられるかどうかも、同じ仕事をずっと続けていけるかどうかも分からず、またキャリアアップのために、別のスキルを身につける必要に迫られることも決して珍しくないことだからです。

以上のような現代の社会状況を踏まえれば、学校で育まれるべき「学力」もまた、徐々に、しかし大きく編み変えられていく必要があるといえるでしょう。将来役に立とうが立つまいが、教育はさまざまなことを〝まんべんなく〟教え込み覚え込まさなければならないといういい方には、現在ではあまり説得力がありません。現代社会や企業が求めているのは、決められた細かな知識を忍耐強く〝覚え込む力〟よりは――もちろんそれも一定、また人によってはかなり必要ではありますが――必要に応じて必要な知識・情報を十全に自らのものとしていける、そのような〝学び続ける力〟へとすでに移り変わっているのです。

誤解のないようにいっておかなければなりませんが、公教育は、企業が求める人材を育成するためにあるわけではありません。前章で述べたように、その本質は、子どもたちが〈自由の相互承認〉の感度を育むことを土台に、〈自由〉になるための〈教養＝力能〉を育むことにあるのであって、単に優秀な企業人を輩出するためにあるわけではありません。

しかし、まさに〈自由〉に生きる、つまりできるだけ生きたいように生きられるようになるためにこそ、わたしたちはその一つの大きな条件である職業について、十分考慮に入れないわけにはいかないのです。子どもたちの〈自由〉を実質化するものとしての教育にとって、職業に就く〝力〟を育むことは、一つの重要な責任であるからです。

専門家に求められるもの

「学び続ける力」が求められているのは、企業に勤める人たちばかりではありません。さまざまな領域における「プロフェッショナル」もまた、今日ではかつて以上に「学び続ける力」が求められています。

かつてプロフェッショナルといえば、科学者であれ医者であれ、あるいは弁護士や経営者、官僚であれ、その専門領域に固有の知識・技能に精通したスペシャリストであるとされ、そのことが一つの社会的信頼の根拠となっていました。

ところが今では、この専門的な知識・技能というものそれ自体が、大きな疑念にさらされています。

原発事故に象徴される専門家への不信はいや増すばかりです。この不信のポイントは、結果を顧みずに技術を適用しようとする専門家たちへの不信、そして、専門家といえども、結局は広い社会的文脈の中では限られた世界のごく限られた部分を知っているにすぎないという、専門知への不信です。専門知はこうして、かつてと比べると、信頼のおける確実なものという地位を今や失いつつあるのです。

しかし、それが医者であれ科学者であれ、あるいは弁護士であれ教師であれ、プロフェッショナルは今もなお社会には必要な存在です。ということはつまり、わたしたちはプロフェッショナルのあり方を、今日《こんにち》改めて見直す必要に迫られているということです。

プロフェッショナル研究の第一人者、ドナルド・A・ショーン氏は、すでに一九八〇年代前半に、社会が複雑性と不確実性という現実を抱え込んでいることを指摘しながら、次のようにいっています。

医師の役割は医療の再構築と合理化により、次の二、三十年にわたってたえず形態を新しくしていくだろう。事業の急激な役割の増加により、ビジネスマンの役割は再定義を求められるだろう。建築家は、新しい建築技術や、不動産と土地開発の新たな形、デザインの情報処理の新技術の導入の結果、根本的な新工法の構築をしなければならないだろう。課題が変化するにともない、利用できる知識に対する需要も変化し、課題と知識の型は、本質的に不安定になるだろう（ショーン二〇〇七、一四〜一五頁）。

かつては、固定的で、またある程度完成されていると思われていたがゆえに信頼されていた専門家の知識や技能が、移り変わりの速い現代にあっては、絶えず自己更新していかなければならない、流動性の高いものへと変容しているとショーン氏は指摘するのです。また、狭い専門知に閉じこもるのではなく、幅広い社会的文脈に自らを位置づけることもまた、今日のプロフェッショナルには求められています。

つまり現代社会においては、プロフェッショナルの専門知さえも、いやむしろ専門知こそが、時々刻々と変わっていかざるを得ないものになっているのです。それはつまり、プロフェッショナルさえも、いやむしろプロフェッショナルこそが、自らがそれまでに得た知識や技能を絶対視し安住することなく、絶えず学び続けなければならなくなっているということです。

ちなみに今の小学生は、社会に出る頃、その六、七割が今はまだない職業に就くだろうといわれています。その意味でも、これからの子どもたちは、もはや決められたコースをただいわれるがままに進んでいけばいいというわけではなく、まさに「自ら学び続ける」力が求められるようになっているのです。

学力＝「学ぶ力」

このように、今日ではだれもが多かれ少なかれ「自ら学び続ける」ことを求められているわけですが、とすれば、今、教育にその育成が求められている「学力」も、この観点からその本質を取り出す必要があるでしょう。「目的・状況相関的方法選択」の考えにのっとって、公教育の「目的」――〈自由〉および〈自由の相互承認〉の実質化――をできるだけ達成するために、現代という時代「状況」——知識基盤社会——においては、どのような「学力」が必要か、そう考える必要があるのです。

さしあたり、次のようにいっておくことにしたいと思います。現代の公教育がその育成を保障すべき「学力」の本質、それはどのつまり、「学ぶ－力」のことである、と。教育は、子どもたちに「学ぶ力」を育むことで、その後の長い人生において「自ら学び続ける」ことを可能にする、その土台を築く必要があるのです。先述したように、それは必要な時に必要な知識・情報を的確に〝学び取る〟、そしてそれをもって自らの課題に立ち向かっていける、そのような〝力〟のことです。

このような「学力」観の転換は、知識基盤社会の進展に加えて、テクノロジーの進歩を背景に、もうずいぶん前からいい尽くされてきたことです。たとえば、今やわたしたちは、細かな知識を自分の中にため込んでいなくとも、インターネットで検索すれば瞬時にその知識・情報を得ることが可能です。とすれば、わたしたちに必要なのは、繰り返しますが、信頼できる知識・情報を、必要に応じて自ら見つけ出し学び取っていく〝力〟だということができるでしょう。知識の〝ため込み〟はある程度必要ではありますが、それはそうした、必要に応じた学びの過程でこそ育まれるべきものでしょう。

そもそも、どれだけたくさんの知識を子どもたちに外部から——つまり必要や興味・関心とは無関係に——つめ込んだところで、子どもたちの多くは、そのかなりの部分を結局は忘れてしまう傾向があります。このことについてはさまざまな研究で明らかにされていますが、だからこそ、学校では細かな知識を覚え込ませるよりも、むしろ「学ぶ力」を核にした学びを展開するべきだという考えが強まっているのです（ただしその一方で、実生活で必要な知識の大半もまた、実はわたしたちは学校で学んでいるのだということも、忘れてはならないことです。「学校で学ぶ知識には意味がない」などといい切ってしまうのは、したがってとても乱暴な話です。）。

「ゆとり教育」について

その意味で、いわゆる「ゆとり教育」は、それが知識の単なる「ため込み」だけでなく、むしろ「学ぶ力」を育むことを重視しようとした教育方針だったのだとするならば、その限りにおいて、ある程度、評価されるべきものだったとわたしは考えています。ただ同時に、あまりにもさまざまな〝色〟のつきすぎたこの「ゆとり教育」（という言葉）は、すでにその歴史的役割を終え、次の段階へと議論を進ませるべき時期にきています。

「ゆとり教育」は、広義には、「ゆとり」という文言が学習指導要領にはじめて登場した一九八〇年前後からの、またごく狭義には、二〇〇二年に完全実施された、学校週五日制や教育内容の三割削減等を謳《うた》った教育方針を指します。

そしてこの「ゆとり」をめぐっては、対立し合うさまざまな人たちの〝思わく〟が入り乱れ、周知のように議論は混迷をきわめました。

たとえば、いわゆる左派の人たちの多くは、「ゆとり」を子どもの主体性を尊重した教育として、また学校週五日制なども、労働者としての教師という観点から、当初これを歓迎しました。他方、左派とはかなり対立的な、いわゆる新自由主義の立場の人たちもまた、これを教育の民営化の契機として歓迎しました。学校の役割を縮小した分、民間の役割が大きくなり教育市場が拡大するというわけです。

そうした中、一方の左派の中から、学校の役割を縮小すれば格差が広がるという観点から「ゆとり」批判が寄せられるようになり、また立場を問わず、「学力低下」を招くとの批判も寄せられることになりました。教育内容の三割削減が、教科の系統性に配慮しない機械的な削減になってしまったために、子どもたちの学びをかえって妨げてしまっているという批判もなされました。

こうして、「ゆとり」をめぐっては、その理念から方法にいたるまで、侃々諤々《かんかんがくがく》の議論がなされることとなりました。

こうした議論の混迷は、時代の移行期・転換期には必ず起こるものです。現代において必要とされる「学力」の本質は何か、そしてそれは、どうすれば育むことができるのか。移行期・転換期においては、その共通理解がなかなか得られず、それゆえ議論は錯綜《さくそう》せざるを得なかったのです。

しかし今やわたしたちは、ゆとり是か非かといった時代遅れの議論を続けるのではなく、教育はどのような「学力」を責任を持って育むべきなのか、そしてそれはどうすれば可能なのかと問うべき時期にあります。そしてこれまで述べてきたように、今日求められる「学力」は、いい悪いは別として、やはり「自ら学び続ける力」にあるのです。

危惧されるさらなる格差拡大の問題

ここでいい悪いは別として、といったのは、この現代求められる「学力」のあり方には、実はいくつかの深刻な問題も指摘されているからです。

たとえば教育社会学者の苅谷《かりや》剛彦《たけひこ》氏は、「学力」がこうした「学ぶ力」に転換することで、先述したように新たな格差問題が起こる（すでに起こっている）ことを指摘しています（苅谷二〇〇八）。

生涯を通して「学び続ける」ことを余儀なくされた現代社会を、苅谷氏は「学習資本主義」社会と名づけます。それは、「学び続ける力」がなければ、個人が市場において低い価値しか与えられない社会です。

この「学習資本主義」の社会において、そのような「学び続ける力」は、子どもが生まれ育つ家庭の環境や階層と密接に結びついてしまっている。自らの調査をもとに苅谷氏はそう指摘しています。つまり、経済的・文化的により恵まれた家庭の子どもの方が、そうでない家庭の子どもに比べて、明らかに「自ら学ぶ力」が高い傾向にあるというのです。

かつてももちろん階層差は存在しました。しかし、だれもが同じことを同じように学んでいた時代においては、学力の評価基準や目標が比較的はっきりしていたために、とにかくそこまでは達成させようと、学校は責任を持ってがんばることができました。

ところが「自ら学ぶ力」は、なかなか簡単に測定できないし、どう伸ばせばいいのかもまた難しい（もっともこの点については、後述するように、わたしは一概にそうとはいえないと考えています）。そんな現代にあっては、学校の教育力よりも、各家庭における教育力の方が、その影響力をどんどん強めているのだと苅谷氏は指摘しています。

同じく教育社会学者の本田由紀《ほんだゆき》氏は、こうした現代社会を「ハイパー・メリトクラシー」の社会と呼び、その問題点を指摘しています（本田二〇〇五）。それはまさに、ハイパー（超）なメリトクラシー（能力主義）の時代。そこにおいては、従来のようにある意味〝分かりやすい〟学力等の指標は通じず、意欲、創造性、柔軟な対人関係能力など、あらゆる〝能力〟が全面的に求められることになります。こうした〝能力〟を、本田氏は「ポスト近代型能力」と呼んでいます。

それはつまり、個々人がそのあらゆる側面を丸裸にされて、全面的な評価にさらされるということです。かつてのように「とりあえず勉強はよくできる」というだけではダメで、「個々人の一挙手一投足、微細な表情や気持ちの揺らぎまでが、不断に注目の対象となる。ちょっとした気遣いや、当意即妙のアドリブ的な言動が、個々人の『ポスト近代型能力』の指標とされる。その中で生き続けるためにはきわめて大きな精神的エネルギーを必要とする。ハイパー・メリトクラシーのもとでは、個々人の全存在が洗いざらい評価の対象とされる」（前掲書、二四八頁）というわけです。

苅谷氏と同様、本田氏も、このハイパー・メリトクラシー社会における家庭間・階層間格差を問題視しています。ハイパー・メリトクラシーにおいて求められる「ポスト近代型能力」もまた、家庭環境の影響を大きく受けやすい傾向があるからです。

ここでいう家庭環境には、経済的な豊かさや親の社会的地位だけでなく、親がどれだけ子どもの教育を意識しているかとか、その会話内容はどうかとかいった、家族間における日々の何気ない交流の仕方も含まれています。そして実際、こうした家庭間・階層間格差は、今日はっきりと、子どもたちの学力格差として表れているのです。

深刻なのは「学力格差」

これは教育学者の間では周知のことですが、「学力低下」問題が吹き荒れた中、多くの人が見落としていたのは、実をいうと、日本の子ども全体の学力が低下したのではなく、むしろ学力格差が広がったということでした。学力下位グループが増えたから、全体として（つまり平均として）学力が下がったように見えたのが実態なのです。

全国学力テストや、ＯＥＣＤ（経済開発協力機構）のＰＩＳＡ学習到達度調査など、さまざまな学力調査結果をどう見るかは、教育学者の間でも完全に一致しているわけではありません。しかし大筋でいえるのは、全体を見れば大騒ぎされたほどに学力低下はしていないし、たとえしていたとしても、目くじらを立てるほどのものではない、ということです（志水二〇〇五など参照）。また後述しますが、ＰＩＳＡ二〇一二では日本の順位が上昇し、大きな話題にもなりました。

しかしその一方で大きな問題として認識されているのが、先述した学力格差の問題です。これはさまざまな調査が裏づけていることで、しかもこの格差に家庭間・階層間格差が密接に関係していることも、今ではかなり明らかにされています。

さらに教育社会学者の志水宏吉《しみずこうきち》氏らのグループが明らかにしたところによると、経済的な要因とはまた独立に、「持ち家率」「離婚率」「不登校率」の三つが、学力格差の大きな要因として働いているといいます（志水・高田二〇一二）。これを志水氏らは「つながり格差」と呼び、子どもたちを支える家庭的・地域的な「つながり」の質や度合いが、今日の「学力格差」の大きな要因になっていると指摘しています。

これはいわれてみれば当然の、しかしこれまで十分には自覚されてこなかったかもしれない重要な指摘です。たとえば、どれだけ学ぶことが好きで、また「学力」の高い子どもがいたとしても、親が学校や勉強に全く関心がないとか、付き合う仲間が勉強させてくれないとか、そうした環境に長い間置かれたら、せっかくの学びの動機や機会を失うことになってしまうかもしれないのです。

格差の是正とともに

以上のように、ただでさえ、家庭の教育力が子どもたちの「学力」にかつてよりも大きな影響を及ぼすようになっている現代にあって、その影響力がかなり強いとされる「自ら学ぶ力」を現代における学力の核とすることには、たしかに大きな危惧を抱かざるを得ません。

さらにまた、好むと好まざるとにかかわらず、だれもが一生学び続けなければならない、苅谷氏のいう「学習資本主義」もまた、大きな問題を抱えているといえるでしょう。現代社会はわたしたちに「学び続ける」ことを強要する社会であり、そこから「降りる」ことを許容しない、ある意味ではきわめて息苦しい社会なのです。

こうした現代社会・教育批判を、わたしたちは真剣に受け止めるべきでしょう。しかしまた同時に、だからといって、学校は「自ら学ぶ力」ではなく、かつてのような「知識つめ込み」にこそ力を注ぐべきだ、などというのもまた、非現実的な話だと思います。現代社会が、ポスト産業社会、知識基盤社会に移行しているのは事実です。そうである以上、わたしたちは、そうした社会において子どもたちが〈自由〉に生きられる、つまりできるだけ「生きたいように生きられる」力を育む必要があるはずなのです。

たとえば、現代が「学び続ける」ことを強要してくる社会だとするなら、その強要に過度に苦しめられないための考え方や方策についての知恵もまた、学校は一定その獲得を保障する必要があるでしょう。

それは、「学び続ける」ことを自らが楽しむことのできる力、などという、かなりハイレベルなものだけでなく、その強要をうまくかわしたりちょっと休んだりすることもできるような、ある種の余裕を持てるようにすることかもしれません。そしてその余裕は、学校だけでなく、社会全体の何らかの制度によって下支えされる必要があるでしょう。ひたすら学び続けスキルアップし続けることだけを強要されるのではなく、ちょっと休憩して余暇の時間を楽しめたり、今までとは別のことに目を向けたりできる、そうした余裕を下支えできるような社会制度が求められるでしょう。

本書では、そうしたこれからの社会制度のあり方を論じる余裕はありません。しかしこのような時代状況において、教育はどうあれば「よい」のかという本書のテーマについては、やはり十分に論じておかなければなりません。そしてわたしの考えでは、その第一歩は、自ら「学ぶ力」としての学力を、どうすれば家庭間・階層間格差を最小にしつつ、すべての子どもに育めるか、という問いになるはずです。

前章で明らかにしたように、公教育の本質は、すべての子どもが〈自由〉に生きられるようになるための〈教養＝力能〉を育むことです。そしてその〈教養＝力能〉の本質は、繰り返しますが、現代社会においては自ら「学ぶ力」にあるのです。

頑健な学校制度

もっとも、今なお知識「ため込み」に傾きがちな学校を、こうした「学ぶ力」を育むものへと大きく転換していくのは、そう簡単なことではありません。ポスト産業社会に対応した学校教育づくりは、長らく教育界の大きな課題といわれてきました。しかしこの移行・転換には、さまざまな障壁があるのもまた事実なのです。

学校は、行政からカリキュラムにいたるまで、きわめて頑健な制度としてつくられています。それはつまり、何かを大きく変えようと思ったら、その全体を大きく変えなければならないことを意味します。

イノベーション研究の第一人者であるクレイトン・クリステンセン氏は、そうした学校のあり方・構造（アーキテクチャ）を、「相互依存的アーキテクチャ」と呼んでいます。たとえば、「ある外国語をもっと効果的に教えたいと思っても、それにはまず英文法の指導方法を変えなくてはならない。だが文法の指導方法を変えるには、英語のカリキュラムのそこかしこを変える必要がある」（クリステンセンほか二〇〇八、三四頁）というわけです。

学校がこのような頑健な制度であること自体は、ある意味ではきわめて重要なことです。そのお陰で、全国どこででも、一定の質の保障された教育を、責任を持って継続的に続けていくことができるからです。少なくとも、制度の頑健さは本来そのためにこそ必要なのです。

しかし同時に、以上のようなわけで、学校制度を大きく変革することは簡単なことではありません。頑健な制度は、言葉を換えれば硬直化してしまいやすい制度であるということでもあるからです。カリキュラムが一度決まればそれを全面的に変えてしまうのは大変だし、それをどう教えるかが一定決まれば、やはりそこに大きなイノベーションを起こすのは容易なことではありません。

でもだからといって、そうした学校制度の硬直性を、批判してばかりいるのも非生産的だとわたしは思います。制度というのは多かれ少なかれそういうものだし、また先述したように、頑健な制度であるからこそ保たれている教育の質というのも、見逃してはならない重要な点であるからです。

ということは、わたしたちは教育の構想を考える時、学校制度それ自体を大きく変革することを、過度には目指しすぎない方がいいということです。大きな制度変革は、学校が「相互依存的アーキテクチャ」であるがゆえに、全体の混乱もまた招いてしまうことになるからです。そしてその混乱の割を食うのは、変革のただ中にいる子どもたちです。

だから、学校を「学ぶ力」としての学力育成の場にするために、何か制度上の大変革をやるべきだ、というわけにはいきません。むしろ、ゆるやかな継続的変革こそが求められているのです。

わたし自身は、学校を「学ぶ力」育成の場にゆるやかに変革していくことは、十分可能なことだと考えています。というのも、実は教育学や先進的な教育は、これまで一〇〇年以上もの長きにわたって、まさにそのような〈教養＝力能〉を育むための方法論や学校のあり方を、熱心に研究・実践し続けてきたからです。そしてそれらは、これまで着実に成果を上げてきました。そのすぐれた成果を活用すれば、わたしたちは、「学ぶ力」としての学力を、できるだけすべての子どもたちに保障することができる。わたしはそう信じていますし、そのような教育をこそ、これからしっかりつくっていく必要があると考えています。

第二章　学びの個別化

では「学ぶ力」としての学力を、わたしたちはどうすれば、できるだけすべての子どもたちに十分に育んでいくことができるでしょうか？

以下、三つのキーワードを軸に論じていきたいと思います。一つは、「学びの個別化」、二つめは「学びの協同化」（協同的な学び）、そして三つめは「学びのプロジェクト化」（プロジェクト型の学び）です。

より「よい」学びの本質を、わたしはこれら三つの学びの融合型として以下に描き出したいと思います。したがって、これらは本来、截然《せつぜん》と区別されるべきものではありません。しかし便宜的に、以下では一つずつ論じていくことにしたいと思います。

「学び方」の多様性

「学びの個別化」から始めましょう。

今日の学校では、初等・中等教育を問わず、ほとんどの場合、学習内容や学習進度がほぼ決められています。九九は小学校二年生で学び、一次方程式は中学一年で、平方根は中学三年で、といった具合です。いつ何をどのように学ぶのか、かなりの程度決められてしまっているのが現状です。

こうした頑健なシステムは、繰り返しますがすべての子どもたちの学力を保障するために重要なものです。前述したように、その画一性がどれだけ批判されようとも、学習指導要領は基本的に、すべての子どもたちに必ずこのレベルまでの学力は保障するという、社会の責任を明記したものなのです。

しかしその一方で、いつ何を学ぶかがかなり決められてしまっている学びのあり方は、考えてみればひどく非効率なことです。子どもたちの興味・関心はそれぞれ異なっているし、学ぶスピードも、また自分に合った学び方も、本当は人それぞれ違っているはずだからです。にもかかわらず、いつ何をどのように学ぶのかが一律的に決められてしまうのは、少なくとも子どもたち一人ひとりの学びの観点からすれば、やはり非効率なことといわなければなりません。一律に〝やらされる〟勉強は、子どもたちの学習意欲を削《そ》いでしまう大きな要因にもなっているでしょう。

心理学者ハワード・ガードナーは、人間の「知能」は単一のものではなく、大きく八つくらいに分けて考えることができるといっています。詳しい説明は割愛しますが、①言語的知能、②論理・数学的知能、③空間的知能、④身体運動的知能、⑤音楽的知能、⑥対人的知能、⑦内省的知能、⑧博物的知能、の八つです（ガードナー二〇〇一）。

ガードナーによれば、ほとんどの人がこれら八つの能力をすべて持っていますが、そのうち優れているのは、たいてい二つか三つだということです。そして、それぞれの能力の特性に応じて、学び方にもまた向き不向きがあるといいます。

これは常識的に考えても明らかでしょう。黙々と本に向かって学ぶことが向いている人もいれば、人とコミュニケーションしながら学ぶのが向いている人もいる。数学的な論理の世界に惹《ひ》かれる人もいれば、とにかくたくさん知識をため込むのが好きな人もいる。理詰めで知識を獲得するのが得意な人もいれば、視覚や嗅覚など、体感覚を使って物を記憶するのが得意な人もいる。

またこうした向き不向きは、個人の成長や学ぶ対象に応じても変わってくるものです。博物的知能に秀でていた人が、いつしか論理・数学的知能の方に能力を発揮し始める、ということもあるし、一人で学ぶのが好きだった人が、やがてコミュニケーションを通して学ぶこともまた得意になる、というようなこともあるのです。

要するに、効果的な学びの方法は、人によっても、またその成長段階においても、時と場合によってそれぞれ異なっているものなのです。同じ内容を、同じ順序、同じペースで、また同じようなやり方で勉強させるのは、その意味でやはり非効率的な方法といわざるを得ないのです。

オンライン学習の衝撃

以上のようなわけで、一律的な一斉授業から、それぞれの子どもの特性に合った「学びの個別化」への転換が、今日《こんにち》求められている第一の方向性だということができるでしょう。そしてこの転換は、もはや避けられない趨勢《すうせい》になりつつあるように思います。

避けられない、というのは、今や多くの人が画一的な一斉授業に疑問を抱いているから、というのに加えて、オンライン学習の衝撃が、学校現場に少しずつ影響を与え始めているからです。学校とはまた少し別のところから、いつの間にか学びのイノベーションが起こっていたのです。

質の高いオンライン学習のコンテンツは、近年爆発的に増え続けています。たとえば、「質の高い教育を、無料で、世界中のすべての人に提供する」ことをミッションとした、アメリカのNPO「カーンアカデミー」には、初等・中等・高等教育のさまざまなレッスンビデオ、それもかなり質の高いビデオ教材が、何千本も無料で公開されています。日本にも、学習指導要領に沿ったNHKのテレビ番組など、オンラインで無料視聴することのできる良質のコンテンツはたくさんあります。

質の高い学習コンテンツを、自分の関心に応じて、完全に理解できるまで何度でも繰り返し、しかも無料で見ることができる。これは、決められたカリキュラムに従って一斉に授業を行う、従来の教育に大きな転換を迫るものといえるでしょう。

一斉授業には、あまりいい言葉ではありませんが、「落ちこぼれ・吹きこぼし」問題というものがつねにつきまとっています。どうしても授業についていけない子どもと、理解が進んでいるため退屈してしまう子どもとが、一定数出てしまいやすいものなのです。

また、このスタイルは、それぞれの先生の授業力や、生徒と先生との相性等にも大きく依存します。つまり端的にいって、すべての子どもの実りある学びを、十分保障するのが難しいところがあるのです。

しかし近年のオンライン学習の発展は、この問題を克服しうる「学びの個別化」を、かなり高いレベルで達成できる可能性を持っています。今後さまざまなスタイルのコンテンツが登場することで、自分に合ったコンテンツを見つけやすくなるということもあるでしょう。

もちろん、オンライン学習はまだその草創期にあり、今後さまざまな試みが起こってはその多くが淘汰されていくことでしょう。オンライン学習固有の問題や課題も、これから次々と現れてくるものと思われます。

また、テクノロジーによって「こんなことができる」となると、本当にそれが「よい」のかどうか十分吟味されることなく、すぐ教育に導入すべきだという意見もしばしば聞かれます。たとえば、極端な話ではありますが、もはや教育はすべてインターネット上で可能になったのだから、学校なんてなくして構わない、といった意見も時折聞かれます。

しかしこういった時こそ、わたしたちは、序章で述べた教育の「原理」を思い起こす必要があります。いかなる教育のあり方も、わたしたちは、それがすべての子どもたちの〈自由〉を実質化し、そのことで社会における〈自由の相互承認〉を実質化しうるものとなっているかという観点から吟味する必要があるのです。そして、教育のＩＣＴ（Information and Communication Technology）化にせよ何にせよ、教育政策は、それが〈一般福祉〉に適う、あるいはこれを促進するものたりうるかという観点から、吟味・実行される必要があるのです。

いわゆる「オープン・エデュケーション」の普及に伴って、未来の公教育においては、すべての子どもたちを一様に「学校」に集めるということが実際なくなるかもしれません。しかしその時には、現在は「学校」という場所に子どもたちを集めることで担保している、教育の機会均等や一定以上の学びの達成の保障を、また別の仕方で保障する（行政の）仕組みが必要になってくるでしょう。

本書の最後では、そのような教育の未来を視野に入れつつ、長期的な教育構想のためのヴィジョン・プランを提案します。しかしいずれにせよ、わたしたちは、今「これができる」から「こうしなければならない」とすぐに考えてしまうのではなく、今「これができる」から、それをどのように〈自由〉と〈自由の相互承認〉と〈一般福祉〉に資するものとして導入・活用していくことができるだろうか、と考える必要があるのです。

ともあれ、わたしたちは今、子どもたちを皆同じ場所に集め、決められた進度にしたがって一斉に授業を行うという、その動機も意義も失い始めています。一人ひとりのより質の高い学びを保障するためには、その「個別化」の道がまずは不可欠なのです。

ドルトン・プラン

ではそのような学びを、わたしたちは具体的にどのように展開していくことができるでしょうか？

実は、「学びの個別化」は近年になってにわかに注目を浴びるようになったものではありません。コンピュータなどなかった頃から、教育学や先進的な教育実践において、すでに一〇〇年以上の歴史と蓄積があるものなのです。

代表的なものとしては、二〇世紀アメリカを代表する教育哲学者、ジョン・デューイの影響を受けて開発された、パーカーストの「ドルトン・プラン」やウォッシュバーンの「ウィネトカ・プラン」などが挙げられます。それぞれに思想上、方法上の違いは若干ありますが、いずれも、生徒たちが教師のサポートのもとに自ら学習計画を立て、それぞれのペースで学び、教師はその支援やコーディネートをするというものです。二〇世紀における、いわゆる「新教育」と呼ばれる教育実践の数々です（ただし「新教育」は、学びの「個別化」だけでなく、むしろより重要なものとして、次章以降で述べる学びの「協同化」「プロジェクト化」をその特徴としています）。

たとえば、パーカーストがマサチューセッツ州の町ドルトンの学校で始めたドルトン・

プランにおいては、子どもたち自身が、教師と共に学習の年間計画および一ヵ月ごとの計画を立てます。

この計画は、生徒と教師の間の〝契約〟と見なされます。生徒たちはこれを自らやり遂げる責任を負い、教師もまた、この〝契約〟を達成できるよう、しっかり子どもたちの学びを支える責任を負うのです。パーカーストはいいます。

> 生徒に仕事を請負いの形で与えて、その遂行に対して責任を感ずるようにすることによって、その仕事の尊厳を自覚させ、目的を明確に意識せしめることができる。われわれは彼がそれを遂行することを願っており、またそれを遂行する力があることを信じていることを彼に知らしめることによって、この責任感をいっそう強くすることができる。〔中略〕こうして、このプランは生徒に自分の時間計画をたてることを教え、自分の必要を十分に満たし、落ちついてしかも徹底的に学習させるようにする（パーカースト一九七四、四二頁）。

教師による一方的な勉強の「押しつけ」は、子どもたちをかえって学びから逃避させてしまいやすいものです。イヤイヤやる勉強は、やはり効率も悪いものです。しかし自ら計画を立て、できるだけ自発的に学びを続けていけるような環境をつくれば、子どもたちはむしろ、責任を持って自らの学びを進めていくようになる。パーカーストはそう主張するのです。

木下竹次の実践

こうした「新教育」の実践は、二〇世紀初頭、日本においても数多く登場しました。いわゆる「大正自由教育」と呼ばれる教育運動です。

その代表的な教育学者・実践家だった木下竹次《きのしたたけじ》は、奈良女子高等師範学校附属小学校において、デューイやパーカーストらと同じく、教師が「教える」ことを中心とする教育から、彼の言葉でいう「自律的学習」を中心にした教育への転換を訴え実践しました。

この実践において、木下は学び方の「自由」を奨励しました。一九二三年に刊行され、当時の「学習」ブームに火をつけたといわれる『学習原論』において、彼は次のようにいっています。

教権主義の人は外部の規範に服従させるのが目的の自由人格に到達させる唯一の方法だと考えるようだが、私どもの経験にするとそれは修学修養のいずれにおいてももっとも有効な方法だと考えることはできない。方法の自由を認める方がはるかに学習者の創作性自律性を発揮し優秀な効果を挙げることができる（木下一九七二、六四頁）。

だからといって、教師は子どもたちを放任し、何もかも好き放題にさせるわけではありません。木下はいいます。

自由に学習させるのは規範を無視することではない。学習の目的を遂げるために適切な規範を自ら発見し自ら追及し自己の規範をもって自己を規正するようにしようというのである。かくして始めて熱心に学習の目的を追求し独創的に方法を探究し実行する（前掲書、六五頁）。

子どもたちが自発的に学び、また努力それ自体に意義を見出しながら学んでいける環境をつくることができれば、子どもたちはその学びをより充実させようと、むしろ自分を律することを学んでいく。そう木下はいうのです。

先述したように、勉強を〝やらされ〟、規律規範を〝押しつけられ〟た時、子どもたちは多くの場合、何とかその強制や規範から逃れたいと思うものです。だからこそ木下は、子どもたちの学び方の自由を最大限に認め奨励し、教師は責任を持ってその学びを支えることを強調したのです。

もっとも、勉強を「やらされる」ことが向いているという人もいれば、そのような〝時期〟がしばしばあることも事実です。ですから、わたしは強制的な勉強一般を否定するつもりはありません。しかし、むしろだからこそ、子どもたち一人ひとりに応じた「学びの個別化」は、やはり重要な教育のあり方だといえるのです。「やらされる」ことを求める、あるいはそれが必要と思われる生徒に対しても、「学びの個別化」は、それが個別化という以上、そうした必要にしっかり対応するものであるからです。

サドベリー・バレー・スクールの教育

ドルトン・プラン、木下竹次の実践に続けて、現代における「学びの個別化」の、きわめてラディカルな例もご紹介しておきたいと思います。

アメリカのマサチューセッツ州にある、四歳から一九歳までの子どもたちが通う、サドベリー・バレー・スクールという学校です。すべての子どもが教員と同じ一票の権利を持ち、学校をどのように運営していくかを話し合いによって決めていくという、徹底して民主的な学校として知られています。

しかし注目すべきは、そのラディカルなまでに民主的な学校運営ばかりではありません。子どもたちの自主的な学びを尊重する点においても、そのラディカルさは群を抜いています。

この学校では、決められた内容を決められた通りに教えるということを、一切しないのです。たとえば読み書きでさえ、教師の方から強制的に教えることはありません。その結果、九歳になるまで読み書きができない子どもも時にいます。しかしそれでも、この学校では強制的に勉強させることはありません。なぜならどんな子も、時が来れば必ず「読みたい」と思うようになるからです。そしてそう思いさえすれば、子どもたちは自ら学び始め、そしてあっという間にほかの子どもたちに追いつくというのです。

サドベリー・バレーの創設者、ダニエル・グリーンバーグ氏はいいます。〝正しい〟成長の進み方や速度などはない。「早く読みはじめる子もいれば、遅い子もいる。しかし、全員に共通しているのは、時が来れば読みはじめる、ということです」(グリーンバーグ二〇〇六、六五頁)。

決められた内容を決められた通りに学ぶのではなく、それぞれの子どもたちが、自分の必要や興味・関心に基づいて、自らのテーマを設定しそれを自ら学び取っていく。それがサドベリー・バレーにおける学びのあり方です。そしてグリーンバーグ氏は、長い経験をもとに、そのことは十分に可能だし、むしろそれこそが自然な学びのあり方なのだと主張します。また、そのような自ら学び取る力こそが、本書でも繰り返し述べてきたように、このポスト産業主義の時代においては求められているのだと。

そのようなわけで、この学校の教師たちは、たとえば学校の敷地内にある小川で一日中釣りをしている子どもがいても、そんなことやめて勉強しなさいなどとはいいません。さすがに心配になってグリーンバーグ氏に相談してきたその子の親に、彼はいいます。「ダンはわたしの知るかぎり、ほかのだれよりも魚に詳しい。すくなくとも同年齢の子どもには絶対負けないだけの知識を持っています。それに、物事を投げ出さずに探究するにはどうすればいいかということや、その時自由に思考を働かせることを知っています」と(ちなみにこのダン、その後コンピュータに夢中になり、やがて在学中に起業したそうです)。

子どもたちが自分だけで学べない時は、教師や友人と「協定」を結んで教えてもらいます。何を学ぶかから始まって、回数や当事者双方のルールなどが決められます。グリーンバーグ氏によると、そうした環境の中でこそ、子どもたちは自ら真剣に学んでいくのだといいます。まさに「学ぶ力」を自ら育んでいるのだといっていいでしょう。

もちろん、こうした教育には長らく激しい批判も寄せられてきました。

たとえば、「子どもたちに自分の好きな活動を自由に選ばせると、必ず一番楽な道を選びたがる」といわれます。しかしグリーンバーグ氏はいいます。子どもは、むしろ自らの探求に打ち込む時にこそ、「最も困難な道をすすんで選ぼうとする」のだと。楽をしようとするのは、実は勉強を強制されているからなのだ、と。

あるいはこんな批判もなされます。「子どもたちには、調和のとれた発達のために、興味・関心に関係なくさまざまなことをバランスよく学ばせるべきだ」と。それに対してグリーンバーグ氏はいいます。そもそも「調和のとれた発達」とは何なのか、「さまざまなこと」をまんべんなく〝知っている〟ことが、本当に「調和のとれた発達」といえるのだろうか、と。そこでいわれる程度の知識・情報なら、先述したようにインターネットですぐ手に入ります。そんな時代に、「さまざまなこと」を〝知っている〟ことにこそ価値を置くのは、はたして妥当なことといえるのだろうか、そうグリーンバーグ氏はいうのです。

こうした、どこか既存の学校を否定する響きもなくはない姿勢には、あまり好意を持たない人もいるかもしれません。しかしわたしは、サドベリー・バレーの教育はかなり合理的なものだと考えています。これまで述べてきたように、ポスト産業社会においては、いろいろと問題はあったとしても、「学力」の本質はやはり自ら「学ぶ力」です。そしてそれは、「やらされている」感の強い環境よりは、「やりたいからやっている」環境における方が、一般的にはより力強く育まれるものでしょう。

もちろん、すべての学校がサドベリー・バレーのような教育をできるわけではありませんし、そうしなければならないわけでもないでしょう。サドベリー・バレーにはサドベリー・バレーなりの問題もあるはずです。しかし、「学ぶ力」を育む一つの先進的な教育の実践として、今後の学校教育の参考にできる部分は少なくないのではないかと思います。

ちなみに、このサドベリー・バレー・スクールは、私立学校ではありますが、決して裕福な家庭の子どもたちの学校であるわけではありません。授業料は一般的な公立学校と同じかそれ以下です。ごくごく一般的な子どもたちを受け入れる学校で、公立学校から〝厄介払い〟された〝問題児〟たちさえも受け入れているとのことです。

さらにちなみに、長い年月にわたって続けられてきたさまざまな追跡調査・研究を通して、サドベリー・バレーの卒業生たちは、総じて自分が満足する仕事に励むことができているということです。

現行制度の可能性

しかし繰り返しますが、サドベリー・バレーの教育をそのまま日本の多くの学校で実現させようとしても、現状においてはまだまだ難しいでしょう。社会的にも簡単には理解が得られないでしょうし、このような教育を実践できる教師もそう多くはないでしょう。

また現実問題として、学習指導要領からの逸脱があまりに大きいという問題もあります。子どもたちが九歳になっても教師が読み書きを教えないなど、現行の学習指導要領においては許されることではありません。

しかし、たしかにサドベリー・バレーほどの教育は容易ではないとしても、以上述べてきたような「学びの個別化」は、現行の学校教育制度の範囲内においても、実は十分可能なことなのです。

たとえば、学校教育法施行規則には各教科等の「標準授業時数」が定められていますが、それを集団でやらなければならないという規定はどこにもありません。むしろ「個に応じた指導」の工夫改善は、学習指導要領にもその必要性が明記されているものです。

加えていえば、学びの効率の悪さについては、〝細切れ〟の時間割も、その一つの要因になっているとわたしは考えています。毎日、一時間目は国語、二時間目は数学、三時間目は……と、四五分とか五〇分で機械的に区切られてしまう細切れの学習、それも一斉授業は、多くの場合あまり効率のいいものではありません。今はこんな授業には興味が持てないと思っても、子どもたちはじっと椅子に座っていなければならないからです。学びたい時に、学びたいことを、一気に学び切る。細切れの時間割は、そうした効率的で持続的な学びを妨げてしまう傾向にあるのです。

もちろん、時間割がしっかりと決められているから勉強できる、という子どももいれば、そういう時期もあるものです。しかしむしろだからこそ、わたしたちはそうした生徒一人ひとりに対応できる、「学びの個別化」を充実させる必要があるのです。ちなみに、パーカーストや木下竹次など、「新教育」の担い手たちの多くは、すでに一〇〇年も前に、こうした非効率な時間割の撤廃を訴えまた実践していました。

しかし実はこの点についても、細切れの時間割を弾力化し、「学びの個別化」に中心軸をシフトさせることは、現行の制度内で十分可能なことなのです。あらかじめ決められ与えられた時間割りに従うのではなく、自ら学習計画を立て（必要とあれば教師が時間割を定め）、教師のサポートを得ながら学びを進めていく。現行制度の可能性を十分活かした上で、そうした「学びの個別化」を充実させていくことが、今後わたしたちが進めていくべき第一の方向性だということができるでしょう。

反転授業

では、今後わたしたちは、具体的にどのように「学びの個別化」を実現させていけばよいのでしょうか？

あらかじめいっておきますが、実りある学びのためには、実は「個別化」だけでは十分ではありません。わたしたちはこれに、次章で詳論する「協同化」を融合する必要があるのです。

理由は大きく二つあります。一つは、個別の学習だけではどうしても行きづまったり伸び悩んだりすることがありますが、そんな時、他の生徒たちとの「学び合い」を通して、ぐんと理解が深まり成長できる可能性が高まること。もう一つは、教師一人で何十人もの個別学習の面倒を見るのは困難ですが、生徒同士の「教え合い」「学び合い」の機会をここに組み込むことで、個別的な学びの成果がぐっと深まることです（学び合いの意義と方法については次章で詳論します）。

したがってここでの教師の役割は、時に一斉授業をすることはあったとしても、基本的には、生徒の自学自習のサポートと実りある「協同的な学び」の整備・促進ということになります。

この学びの「個別化」と「協同化」の融合として、近年注目を集めているのが「反転授業」という授業の方法です。

これまでは、学校である学習内容を一斉に教えられ、それについての宿題を家で個別にやってくる、というスタイルが一般的でしたが、反転授業はこれを〝反転〟させます。具体的には、あらかじめ家で短い授業動画を個別で見、学校ではその内容について協同学習を行うという学びのスタイルです。まさに、PC・タブレット端末の普及のおかげで可能になった授業方法ということができるでしょう。

これは、今最も実現可能性の高い学びの「個別化」と「協同化」の融合方法です。もっとも、その分かりやすい新奇さにばかり注目が集まりがちな反転授業ですが、その基本発想は、デューイ以来一〇〇年以上の伝統を持つもので、取り立てて目新しいものではありません。

理解しておくべき重要な点は、家で授業動画を見、学校では協同的な学びを行うという表面的な方法論ではなく、その根底にある学びの「個別化」と「協同化」の意義についてです。その意義を、もし推進者や実践者が十分理解していなければ、反転授業の導入は、短期的にはむしろ授業や子どもたちの混乱を招いてしまうことにもなりかねません。

しかしいずれにせよ、反転授業への注目とその広がりは、今後の学びの個別化と協同化を、大きく推進するきっかけとなるはずです。近年では、小・中学校への反転授業の導入を決定した自治体も登場し、大きな話題を呼びました。予算や教師の意識、授業スタイルの変更など、これからさまざまな課題や問題に行き当たることになるとは思いますが、こうした試みは、紆余曲折を経ながらも確実に広がっていくことでしょう。学びの「個別化」と「協同化」を、具体的に進めていく足がかりといえるかと思います。

「学びの個別化」実現のために

しかし本章で述べてきた「学びの個別化」は、昨今行われている「反転授業」より、ある意味ではラディカルなものといえるかと思います。したがって完全な実現には二〜三〇年かかるものと思われますが、ここではその基本的なイメージを、以下に紹介しておきたいと思います。

「反転授業」は、今の時点ではクラス単位で行われることがほとんどです。それゆえ、授業の進度やカリキュラムもまたクラス単位で決められています。

それに対して、本章で述べてきた「学びの個別化」は、究極的にはそうした学習進度やカリキュラム編成さえもカスタマイズするものです。

具体的には、(もちろん小・中・高校等によってやり方は異なりますが、)まずドルトン・プランに倣って、一人ひとりの生徒が教師と共に学習の年間計画および一ヵ月ごとの計画を立てます。年度はじめおよび月はじめにコンサルテーションの時間を設け、それぞれの個別の学習計画を設定するのです。

後に述べる「計画的な学び合い」と「プロジェクト型の学び」の時間、また体育などの時間以外は、学校での学習活動は基本的に自学自習の時間とします。個別の学習計画にしたがって、自分で時間配分しながら学びを進めるのです(したがって時間割はかなり弾力化されます)。

そのために、図書館やPCルームを充実させ、教科書、図書資料、ビデオ教材やオンライン学習コンテンツなどを取り揃えます。生徒たちはこれらを自由に使って、教師のアドバイスを得ながら自分に合った学びを進めます。

もちろんそのためには、今後それなりの予算が必要になってくるでしょう。ゆくゆくは、生徒一人につき一台のPCあるいはタブレット端末が必要になるでしょう。しかしこの程度のことであれば、遠くない将来実現するものと思われますし、またいうまでもなく、学習はいつでもPCを必要とするわけではありませんから、図書資料の充実等による「学びの個別化」の推進は十分に可能です。

そうした学びにふさわしい教室なども必要です。これからの学校空間・建築のあり方については第Ⅱ部で述べますが、黒板に向かって机と椅子が整然と並べられた教室ばかりでなく、たとえばカフェのような配置のなされた教室などもあっていいでしょうし、静かな自習室なども整備された方がいいでしょう。学校空間にバリエーションを設け、生徒たちが自分の学びに集中しやすい環境をつくるのです。現行の校舎や教室をそのままに、そうした空間設計を工夫することは可能だろうと思います。

そうしたある程度開放された空間をつくれば、個別的な学びに、自然と「協同的な学び」が融合してくるようになります。あるいはそのように促すことができます。自学自習といっても、これは生徒たちがただ黙々と個別に問題集を解いている、というよりは、それぞれがそれぞれの学びを進めながらも、分からないところを互いに訊ね合うなど、学びの「協同化」がセットになったものである必要があるのです。この「個別化」と「協同化」の融合には大きく二つのあり方が考えられますが、この点については、次章で「学びの協同化」について述べた後に論じたいと思います。

以上は、あくまで「学びの個別化」の基本イメージです。これを具体化していくにあたっては、それが小学校なのか中学・高校なのかによっても、またそれぞれの学校が置かれた状況によっても、やり方はさまざまに異なってきます。しかしその基本は、次の三点に集約されるといっていいでしょう。

一つは、子どもたちが教師のサポートを得て、自ら学習計画を立ててこれを実行していくこと。二つ目は、その際、個別的な学びに「協同的な学び」を融合させること。そして三つ目は、教師は主として、子どもたち自らの個別的および協同的な学びを、支援し導く役割を担うことです。

新教育の挫折と現代における可能性

以上見てきたように、「学びの個別化」は、実りある学びのために今後避けられない道です。にもかかわらず、いったいなぜ、これまで教育は、この個別化を十分に果たすことができずにきたのでしょうか。

それにはさまざまな理由があります。たとえば、先述したように、日本でも個別化を軸とした「新教育」は特に大正時代に盛り上がりを見せましたが、この運動は、中央政府による弾圧とその後の戦争によって、十分に広まることがありませんでした。当時の日本政府にとって、〈自由〉を旨とする教育はきわめて危険なものと考えられたのです。

戦後、デューイの教育理論に大きく依拠して行われていたアメリカの教育の影響を受けて、「新教育」は日本でも一時急速に息を吹き返しました。しかしそれもまた、その後まもなく失墜してしまうことになります。

一つの有名なきっかけは、一九五七年にソ連が世界初の人工衛星を打ち上げた「スプートニク・ショック」です。アメリカはこれにきわめて大きな危機感を抱きました。人工衛星技術は、つまりは核ミサイルの技術です。宇宙開発競争でソ連に出遅れたアメリカは、その理由の一つとして、子どもたちの興味や関心を活かした教育などという、「新教育」

の〝なまぬるさ〟を批判するようになりました。そして、教育はもっと最先端の学問知識を教え込まなければならないのだという声が大勢を占めるようになりました。一九六〇年代に起こった、教育の「現代化運動」と呼ばれた運動です。

ところがその後間もなく、この運動もまた頓挫《とんざ》することになります。その主な理由は、まさに子どもたちに、難解で大量の学習内容が押しつけられたことにありました。アメリカに続いて日本でもこの現代化運動が起こりますが、勉強に対する子どもたちの疲弊は著しく、やがていわゆる「ゆとり」路線へと転換していくことになります。

以来、いわゆる「つめ込み」と「ゆとり」、あるいは「教科主義」と「経験主義」は、さまざまなバリエーションをもって対立し、教育のあり方は振り子のように右往左往し続けることになりました。近年ではさすがにこの単純な二項対立はそれほど聞かなくなりましたが、いずれにせよ「新教育」は、今日にいたるまで、いわゆる「教え込み」派——というとやや語弊があるかもしれませんが——と何らかの対立を続けてきたのです。

新教育が抱えたもう一つの問題は、コストでした。学びの「個別化」を実現させるためには、豊富な教材や充実した施設など、それなりにお金が必要だったのです。

たとえば先述したドルトン・プランは、大正時代日本においても大きく注目されましたが、結局浸透することはありませんでした。その一つの理由は、先述した中央政府による弾圧にありますが、もう一つ、子どもたちの自学自習を支える学校環境が、まだ十分整っていなかったという問題もありました。当時の日本の学校には、子どもたちが自由に閲覧できる図書資料も限られており、自学自習できる十分な空間もありませんでした。学級定数は、何と一クラス七〇名、場合によっては七八名まで認めるというありさまだったのです。

しかし上述した二つの問題は、今日ではかなり乗り越えられているのではないかと思います。前章で論じたように、知識基盤社会といわれる現代社会において、大量の知識をただ「つめ込む」ことには、かつてほどの妥当性はもはやなくなっているからです。

コストの問題も、今日ではかなりクリアされているといっていいでしょう。

実はカーンアカデミーは、先に名前を挙げました「ウィネトカ・プラン」からも大きなインスピレーションを得ています。その上で、カーンアカデミーの創始者サルマン・カーン氏は、当時金銭的な理由もあって全国的な普及が叶わなかったこの教育のアイデアは、テクノロジーの進歩によって、そのコストを飛躍的に下げることができるようになったと主張しています（カーン二〇一三）。学びの個別化は、インターネット環境と個人端末さえあれば、今日それなりに可能な状態になっているのです。

もちろん、その整備はまだ十分ではなく、今後多大なコストがかかる部分も大きいでしょう。先述したように、ゆくゆくは、生徒一人につき一台のＰＣあるいはタブレット端末が行き渡ることが望ましいでしょう。しかしそれでも、少なくともかつてに比べれば、「学びの個別化」を推進するための環境はかなり整っているはずです。計画的に進めれば、コストの問題も十分クリアできるでしょう。

テクノロジーだけではありません。ドルトン・プランのような教育に必要な、多くの図書資料や自学自習を可能にする空間なども、今では多くの学校にすでに整っているのです。

「新教育」は、その本領を発揮する環境が十分に整わない中で登場した、ある意味では時代を先取りしすぎていた実践だったといえるかもしれません。しかし繰り返し述べてきたように、「学びの個別化」は、今日もはや避けられない時代の趨勢です。そしてこれを可能にするテクノロジーも学校環境も、今では十分に整いつつあるのです。

とすればわたしたちは、脈々と受け継がれてきた「新教育」の知恵を、いかに家庭間・階層間格差を縮小する形で、すべての子どもたちの〈自由〉を実質化するために活用していけばよいか、と考えていくことができるし、またその必要がある。わたしはそう思います。

格差の再生産？

さて、ところが実はこの「新教育」、一九六〇年代以降に繰り広げられた批判とはまた別の形で、近年の教育学においてふたたび激しく批判されてきた経緯があります。

前章でも述べた通り、「自ら学ぶ力」とか「問題解決力」とかいった「測りにくい力」――まさに「新教育」が標榜《ひょうぼう》した〝力〟です――は、家庭環境の影響を大きくこうむるものであり、したがって格差をより拡大しかねない（すでにしている）と批判されてきたのです。「自ら学ぶ力」や「問題解決力」というと聞こえはいいけれど、一部の経済的に恵まれた階層の子どもたちにしか十分に育むことができないのだとするならば、それは結局、格差の再生産を促進するだけだ、と。

この新たな「新教育」批判は、新教育を推進してきた人たちにとっては、思わぬ形で水を差されたある種苦々しい経験となりました。「総合的な学習の時間」の新設など、ここ十数年の教育の流れは、新教育の推進者を大いに奮い立たせるものでした。ところが今度は、「格差問題」という、これまであまり想定してこなかった新たな批判を突きつけられることになったのです。

「自ら学ぶ力」をいかに育むか、という研究と、教育が格差・不平等を再生産していることを明らかにする研究とは、ある意味において教育学研究の二大伝統です。しかし両者は、長らくあまり交流することがなく、あったとしても、どうも馬が合わなかった印象があります。そしてこの一〇年あまり、両者はますます、その対立やすれ違いを深刻化させてきたようにわたしには思われます。

ちなみにわたし自身は、そうした〝馬の合わなかった〟世代の、一世代も二世代も後の世代の者です。そしてだからこそ、その対立や論争を冷静に振り返り、両者の知見のすぐれた部分を、対立させるのではなく活かし合うことで、より「よい」教育の構想に役立てていくことができるのではないかと考えています。

「自ら学ぶ力」の育成に、今日家庭間格差が一定見られるのだとするならば、むしろだからこそ、その格差をできるだけ縮小しうるよう、学校や社会がもっとこの「自ら学ぶ力」を支えていく必要がある、わたしはそう思います。別に「自ら学ぶ力」の育成それ自体を敵視する必要はないのです。むしろ、学力を「自ら学ぶ力」ではなくいわゆる旧来型の知識ため込み力と定め続けるとすると、そちらの方が、格差の問題をより深刻化させることになるのではないかと考えています。

たとえば近年、学力のふるわない子どもたちを放課後に集めて、学力向上のための対策を実施する学校や自治体が増えています。その際に取られる手法は、多くの場合〝規律化〟と〝ドリル〟です。椅子に座って学習することが苦手な子どもたちを椅子に座らせ、繰り返しドリル問題を解かせて学力向上に努める。そのような試みが、近年ますます多くの学校や自治体で見られるようになりました。

しかしそれは、はたして本当に「よい」方法といえるでしょうか？

たしかに、短期的には「学力」は向上するかもしれません。ペーパーテストに、その成果が少しは反映するかもしれません。しかし長い目で見た場合、それは学力のふるわない子どもたちを、ますます勉強嫌いにしてしまうことにつながりはしないでしょうか？　教師の見ているところでだけ「勉強しているフリ」をするような、そんな性向を育んでしまいはしないでしょうか？

どれだけ〝善意〟によって低学力の子どもたちに〝テコ入れ〟したところで、それがいわゆるつめ込みの手法で行われると、子どもたちを学校文化や学びからますます逃避させてしまうことにつながりかねません。それこそ、まさに格差を深刻化させてしまう教育のあり方というべきではないでしょうか。

教育社会学者の本田《ほんだ》伊克《よしかつ》氏は、「文化的・言語的不利益を受けている子ども・若者にとって重要なのは、カリキュラムの内容がかれらにとって切実なものであったり馴染みがあったりするものであるだけではなく、その様式においても馴染みあるものとして経験されなければならない」（本田二〇一三、一二九頁）と論じています。わたしもその通りだと思います。そしてその「様式」こそが、本章で述べてきた学びの「個別化」、そして次章以降で述べる、「協同化」「プロジェクト化」といえるのではないか、と。

「自ら学ぶ力」の育成を敵視するのではなく、学びの個別化・協同化・プロジェクト化を核として、むしろその育成を学校教育が徹底的に保障すること。そのことこそが、格差問題を克服するための方途になりうるのではないか。わたしはそう考えています。

新教育の再構築

実はこのような問題意識は、すでに教育社会学の領域からも、近年提起され始めています。今後、格差・不平等の再生産を論難してきた教育社会学と、その批判の矢面に立たされてきた新教育の思想・実践との和解および協同が、少しずつ進んでいくのではないかと期待しています。

たとえば教育社会学者の森直人《もりなおと》氏は、学びの「個別化」や「自ら学ぶ力」といったものを重視した改革のゆえに、今日《こんにち》格差がますます拡大しているのだとする従来の教育社会学における研究を、「本当に教育改革の直接の効果として、そのような現実がもたらされたのかという点の実証手続きにおいて明らかに弱さをはらんで」（森二〇一一、一三三頁）いると指摘した上で、次のようにいっています。

> 「教師による統制をはずせば格差拡大」との論理の必然性の如何を問わずにきた、近年の日本の教育社会学の理論フレームの援用のほうがいささか粗雑に過ぎた点は指摘しておくべきである。もしも、そのように言える対象があったとするなら、それは「自由と個性尊重の実践」の故ではなく、端的に「実践の不在」がもたらしたものというべきだろう（前掲書、一四一頁）。

「自由と個性尊重の実践」が格差を拡大しているというよりも、むしろ、そのような「実践の不在」こそが、格差拡大の一つの要因となっているのではないか。そう森氏は指摘するのです。そしていいます。「個別化」や「自ら学ぶ力」といった「新教育」的理念が、格差・不平等の再生産を生んでいるという言説が力を持って以来、「『自由化／個性化』の理念を標榜する実践はそれだけで貶価《へんか》される風潮を生み、三〇年以上にわたり蓄積されてきた実践の継承も断たれようとする現状がある」（前掲書、一四三頁）と。

ここでいわれている「三〇年以上にわたり蓄積されてきた実践」とは、具体的には、森氏が事例研究を行った愛知県東浦町《ひがしうらちょう》における、「個別化・個性化教育」を指しています。子どもたち一人ひとりに合った指導法を見出すとともに、その興味・関心・考え方などの「個性」を尊重する、長い伝統を持つ教育実践です。そしてその背景にはまた、先述したような一〇〇年以上におよぶ「新教育」の実践があるのです。

今こそ、こうした実践知を力強くよみがえらせ、そのことでできるだけすべての子どもたちに「自ら学ぶ力」を育める教育をつくっていく必要がある。改めて、わたしはそう主張したいと思います。

第三章　学びの協同化（協同的な学び）

続いて、本章では「学びの協同化」（協同的な学び）について論じていくことにしたいと思います。

先述したように、より「よい」学びのためには、「学びの個別化」だけでは十分ではありません。以下論じていくように、実りある学びは、個別化と協同化をセットにすることで、より十全に達成されていくものなのです。

「学び合い」を通した学力保障

一口に「協同的な学び」といっても、さまざまなあり方があります。しかし基本的に共通しているのは、学びを、教師による一斉授業ではなく、児童・生徒同士の「学び合い」を通して深めていくという方法です。

先述したように、一斉授業は、いわゆる「落ちこぼれ・吹きこぼし」問題をどうしても抱えざるを得ない傾向があります。それに対して「学び合い」は、すべての子どものより質の高い学びを保障する可能性が高いといわれています。

何十人もの子どもの学びを、一人の教師がすべて担い切るのはなかなか困難な話です。その上、前にも述べたように、一人ひとりの教師の授業力には差があるし、生徒との相性が合う合わないといった問題もある。つまり、教師が教室のすべての子どもたちの実りある学びを一人で保障するのは、実は容易なことではないのです。

他方、質の高い「学び合い」をうまくコーディネートすることができたなら、一人ひとりの子どもたちのより実りある学びを保障する可能性が高まることが知られています。

先生の授業を聞くよりも、友達から教えてもらった方が理解が深まる、という経験を、多くの人はきっとしたことがあるでしょう。一方的に教えられるよりも、「これどういうこと？」「どうやったらいいの？」と聞きながら勉強した方が、理解を深められるものなのです。

他方、友達に〝教える〟ことを通して、より理解が深まったという経験も多くの人が持っていることでしょう。〝教えられる〟ようになるためには、その内容のより十全な理解が必要になるからです。

「学び合い」はこのように、教師一人の授業力に頼りすぎるのではなく、多様な子どもたちの力を持ち寄ることで、全員の実りある学びを達成することを目指す授業のあり方なのです。

ちなみに、よく「競争」が学力の向上策として取り沙汰されますが、実は教育学や心理学等のさまざまな調査研究において、その通念は多くの場合、かなり間違っていることが明らかにされています（コーン一九九四など参照）。むしろ、学力の向上だけでなく、たとえば芸術的創造や会社の営業といった場面においてさえ、「競争」より「協力」「協同」の方が、高い生産性を生むという調査結果が多く報告されているのです。

個人間の競争がインセンティブになるのは、成績上位のそのまたごく一部、あるいはきわめて強い〝ハングリー精神〟を持った、限られた範囲の子どもたちだけにすぎません。それ以外の多くの子どもたちは、たとえば競争に負け続けることで、勉強への意欲を失うこともしばしばです。成績上位の子どもたちでさえ、絶えず競争のプレッシャーにさらされていては、その本領をいつか発揮できなくなってしまうかもしれません。その意味でも、すべての子どもたちの質の高い学びを保障するためには、総じて見れば、競争より協同の方がはるかに効果的であるということができるのです。

学びの共同体

ではこの「協同的な学び」、具体的にはいったいどのように行われるものなのでしょうか？　以下、実際に行われている「学び合い」のさまざまなあり方をご紹介したいと思います。

日本でおそらく最も有名な「協同的な学び」は、佐藤学氏が主唱している「学びの共同体」でしょう。協同的な学びを中心とした、個々人を尊重し合う民主主義的共同体としての学校づくりの実践です。

ここにおける「学び合い」を成功させるために、佐藤氏は明確化すべき四つのポイントを挙げています。①グループをどのように組織すべきか、②いつグループ学習を導入すべきか、③いつグループ学習を終えるべきか、④グループ学習の間に教師は何をすべきか、の四つです（佐藤二〇〇六）。

①の「グループをどのように組織すべきか」については、経験的には男女混合の四人を基本とするのが好ましいといわれます。男女混合だと協同の思考が活性化されやすく、三人以下だと多様な意見の交流が見られず、五人以上だとだれかが「お客さん」になりがちだからです。

②の「いつグループ学習を導入すべきか」については、二つの機会があります。一つは、前章で論じた「学びの個別化」を「協同化」する時。それぞれが学んだものを持ち寄って、訊ね合い教え合う機会をつくることで、いわば学びの効率性を高めるわけです。

もう一つのより重要な機会は、「背伸びとジャンプのための協同的な学び」の機会です。学びというのは、実は少しずつ進んでいくというよりも、意味ある経験の蓄積を土台に、ある時「ジャンプ」の機会が訪れる、そのような仕方で進んでいくものです。したがって「学び合い」の機会は、たとえば生徒たちのつまずきや伸び悩みがあった時、あえて協同で考え合う機会をつくることで、この「意味ある経験の蓄積」を生み出す可能性を広げることを志向します。一方的に教えられるのではなく、互いに考え合うことで、「あ、分かった！」といえるような機会をつくり出すわけです。

先述したように、個別的な学びだけでは、この「背伸びとジャンプ」の機会を十分に整えることが難しいものです。行きづまった時、一人で考えていてもなかなかそこから抜け出せないということもあるし、一人でやっているだけではマンネリ化するということもあるからです。そこで「協同的な学び」は、それぞれが学んだものを持ち寄って学び合う機会をつくることで、学びの相互触発、相互作用を起こすのです。

③の「いつグループ学習を終えるべきか」については、「学びが成立している限りにおいて進めるべきであり、学びが成立しなくなる直前で終えるべき」だといわれます。散漫なおしゃべりがダラダラと続く状態になれば、学びが成立しにくい状況だと判断し、グループ学習は終えられるべきだというわけです。

④の「グループ学習の間に教師は何をすべきか」については、一つのことが特に重要だといわれます。まずは、「学び合い」に参加できない生徒に対するケア。そしてもう一つは、「学び合い」が起こりにくい状態に陥っているグループに対するケアです。

これは逆にいうと、すべての子どもとグループが「学び合い」を成立させていると判断されれば、過度に介入せず生徒に任せておいた方がいい、ということでもあります。そこでこそ、まさに自ら学ぼうとする学びが起こっているだろうからです。その意味では、今日《こんにち》教師に求められている力量は、一斉授業の上手さというより（あるいはそれだけでなく）、一人ひとりの学びを支え導くとともに、「学びの協同化」をファシリテート（促進）する力だといえるでしょう。

教師の協同

しかし、ただでさえ日々の仕事が増え、多忙感の増している先生たちに、協同的な学びのファシリテート力まで求めるのは酷にすぎるのではないか。そう思われるかもしれません。

短期的には、たしかにそうした面がないとはいえません。しかし長期的に考えれば、一人ひとりの教師が自身の役割を少しずつ無理なく変化させていくことは、決して不可能なことではないと思います。また、教員養成のあり方や研修のあり方も、学びの「個別化」や「協同化」に対応したものへと重点を移していくことはできるでしょうし、今後そうしていく必要があるでしょう。

ただもう一方でいっておきたいのは、だからといって、一斉授業がダメだとか、一斉授業が得意な先生はもう時代遅れだとかいっているわけでは決してないということです。第七章で教師の資質について論じる時に詳しく述べますが、重要なことは、いろんな得手不得手を持った、多様な教師のそれこそ「協同」にあります。みんながみんな、一斉授業の名人である必要はないし、「学び合い」の天才的なファシリテーターである必要もありません。それぞれがそれぞれの得意なものを持ち寄って、一人ひとりの子どもたちの質の高い学びを支えていけばいいのです。

「教師はこうあるべきだ！」「これからの教師にはこのような力が求められている！」といったセリフはしょっちゅう聞かれますが、だからといって、すべての教師がその完璧な体現者でなければならないわけではありません。教師は実にしばしば、授業力も学級運営力も人間的魅力も、何もかもが完璧であることを求められ、その基準からああだこうだと批判されてしまう傾向があります。しかしそれは、現実を理解しない無茶な批判・要望というものです。

人間ですから、得手不得手があるのは当然です。一人の先生に、何もかも完璧を求めるのはナンセンスです。むしろより重要かつ現実的なことは、多様な教師の力の「協同化」です。ガンコ親父風の先生もいれば、フレンドリーな先生もいる。一斉授業の上手い先生もいれば、学び合いの得意な先生もいる。それぞれがそれぞれの力や特性を活かし合って、すべての子どもたちの実りある学びを支えていく必要があるのです。

『学び合い』

「協同的な学び」の実践には、教育学者の西川純《にしかわじゅん》氏が主唱している『学び合い』もあります。これも、「教師が一斉授業で、教えたいことを教えたいように教えるのではなく、授業中に子ども同士がお互いに教え合って、教師の設定した課題を達成していくという方法」だとされています。その際、最も重視されるのは、「かならず『全員が課題を達成すること』を一番大事にする」ということです（西川編二〇一〇、一八頁）。

そのために、『学び合い』は以下の三つの考え方を基本とし、子どもたちと共有するよう努めます。

第一は、「学校は、多様な人とおりあいをつけて自らの課題を達成する経験を通して、その有効性を実感し、より多くの人が自分の同僚であることを学ぶ場」であるという学校観。第二は、「子どもたちは有能である」という子ども観。そして第三は、「教師の仕事は、目標の設定、評価、環境の整備で、教授（子どもから見れば学習）は子どもに任せるべきだ」という授業観です（前掲書、四二頁）。

第一の点は、〈自由の相互承認〉の土台としての学校という、本書で述べてきた公教育の本質に通ずるものです。「学び合い」は、すべての子どもの学力を育むだけでなく、「相互承認の感度」を育むこともまた、その重要な使命としているのです。この点については、第六章で改めて論じることにしたいと思います。

第二の、「子どもたちは有能である」という子ども観についても付言しておくと、これは別に、子どもたちは、だれもがどんな課題でも必ず達成できるなどという、楽天的にすぎる子ども観というわけではありません。一人では達成できないことも、協力すれば多くのことが達成できるという考えです。実際、先述したように、一斉授業に比べれば「学び合い」の方が全体の学力向上に資することが多い。したがってこの子ども観は、どんな子どもも掛け値なしにみんな「有能」であるというよりは、子どもたちの協力・協同の「有能性」をこそ信頼するべきだということだといえるでしょう。

以上の三つの基本的な考えに加え、「本当に理解すること」が大切だということ、つまり、分かったふりをしたり、だれかの答えを丸写ししたりしてはいけないということを子どもたちと共有してから、『学び合い』は始まります。具体的には、「今日のこの授業でのゴールは、全員が〇〇をできるようになる、です」と目標を示し、その後、子どもたち同士の『学び合い』を促します。たとえば、「全員が算数の教科書の〇ページの問題を解けるようになる」とか、「全員が植物の成長に何が必要かを、他の人にわかるように説明できるようになる」といった具合です（前掲書、四四～四五頁）。

『学び合い』の際は立ち歩きが奨励され、グループが流動的に組まれます。かといって、必ず全員がグループを組まなければならないというわけではなく、一人で課題に取り組む子どもも尊重されます。

ただし目指されるのは、先述したように、必ず「全員ができるようになる」ことです。したがって、一人で早くできることが優秀とされるわけではなく、早くできた子どもは他の子どもたちに教えたり、分からない子どもは他の子どもたちに訊ねたりすることが奨励されます。

こうした『学び合い』を上手く機能させるためのさまざまなノウハウ――たとえば、具体的なゴールが見える「目標」設定の仕方や、インプットだけでなくアウトプットする機会の整備、また、自由に選択できる教材をしっかり準備するといったことなど――を、西川氏らは長年にわたって蓄積しています。

海外の協同学習

海外で開発された「学び合い」の方法も、いくつかご紹介しておきたいと思います（以下、杉江二〇一一参照）。

最もシンプルなものとして、ジョンソン兄弟によって開発された「協力学習法」と呼ばれる方法があります。生徒を四～五人の小グループに分け、一緒に一つのワークシートを全員が分かるまで協同して学ぶスタイルの「学び合い」です。

やや複雑な方法で、比較的よく知られたものとしては、「ジグソー法」と呼ばれるものがあります。生徒をまずいくつかのグループに分け、そのグループ内の各生徒に、学習課題をいくつかの部分に分けた下位課題を割り振ります。それぞれがその課題に挑み、最終的に全員の課題を合わせると、学習課題の全貌が明らかになるという仕掛けです。

その際、下位課題を割り当てられたそれぞれの生徒は、自分と同じ課題を与えられた別のグループの者同士で集まり、協同学習を行います。その後、もう一度元のグループに戻り、自分が学んだことについてグループの生徒たちに教え、他の下位課題については逆に教えてもらいます。つまり一度の学習に際して、一人が二つのグループに属して「学び合い」を行うのです。

テキストの読み取りを課題とする学習活動に効果的な学び合いとして、「話し合いによる学習法」と呼ばれるものもあります。要するにディスカッションスタイルの「学び合い」ですが、単に意見交換を行うだけでなく、「語彙《ごい》の理解」「主張の理解」「知識の適用」等、いくつかのステップが示され、テキストの理解を深められるような工夫が施されています。

以上、いくつかの「協同的な学び」の方法を見てきましたが、繰り返し強調しておきたいのは、教育（学び）の方法に、絶対に正しいものなどはないということです。協同的な学びが絶対に正しいわけでも、その中に他の方法に比べて絶対的にすぐれた方法があるわけでもありません。序章で述べた、「目的・状況相関的方法選択」です。すべての子どもの〈自由〉を実質化するために、その時々においていったいどのような方法をとるべきか。教師はそのように考えた上で、さまざまな授業方法を使い分けたり組み合わせたりする必要があるのです。

「個別化」と「協同化」の融合

しかしその上で、これまでに述べてきた学びの「個別化」と「協同化」の融合は、現代においてはきわめて有効かつ妥当な教育の方法であると、わたしは改めていいたいと思います。「個別化」を通して学びの効率性を高め、さらに「協同化」を融合することで、子どもたち全体の学力を向上させるのです。

具体的には、次の二つの仕方で「個別化」と「協同化」を融合させるとよいでしょう。

一つは、生徒一人ひとりの個別的な学習に、自然に「協同化」が融合するような環境づくりです。

前章で述べたように、学校はゆくゆくは、学びの進度や内容、方法などを、徹底的にカスタマイズする方向へと進んでいく必要があります。しかしそれと同時に、その個別の学習にあたって、生徒同士で教え合い学び合う環境を整える必要もまたあるのです。

「個別的な学び」ですから、それぞれの生徒は学んでいる教科もその進度も異なっています。しかしその中で、お互いの時間を調整し合って、教え合い学び合う機会が発生するような環境を整備するのです。

それは特に、「個別的な学び」も「協同的な学び」も、どちらも同時にできるような学校空間を設計することによって可能になるでしょう。その具体的な設計については、第Ⅱ部で述べることにしたいと思います。

これを「自然発生的な学び合い」と呼ぶとするなら、もう一つは「計画的な学び合い」とでも呼ぶべきものです。

先に見た『学び合い』のように、「協同的な学び」の時間をカリキュラムの中に盛り込むのです。それぞれに学習進度の異なった生徒たちが集まり、右に述べてきたさまざまなやり方を通して教え合い学び合う時間をつくることで、学びの相互触発と全体の学力向上を達成するのです。

このような学びの「個別化」と「協同化」の融合を、完全に実現するにはまだ二〇～三〇年はかかるでしょう。しかしわたしは、このような方向へと徐々に教育を向かわせていくことは十分に可能だし、またその必要があると考えています。

第四章　学びのプロジェクト化（プロジェクト型の学び）

「個別化」、「協同化」に続けて、最後に学びの「プロジェクト化」について論じたいと思います。近年ではＰＢＬ（Project Based Learning／プロジェクト型の学び）という呼び方もある程度一般化し、企業や非営利組織における教育やワークショップにも取り入れられるなど、学校教育以外でも注目されている学びの方法です。

先述したように、学びの「個別化」と「協同化」と「プロジェクト化」は、どれも密接に関わり合っていて、本来截然と区別されうるようなものではありません。しかしあえて区別して論じるとするなら、「個別的な学び」と「協同的な学び」が、どちらかといえば〝何を学び取るか〟が教師によってある程度具体的に決められているものとするなら、「プロジェクト型」は、それがそれほど詳細には決定されていないものといえます（もっとも、プロジェクトには「個別的」なプロジェクトもあれば「協同的」なプロジェクトもありますから、教師が〝何を学び取るか〟を設定するのではない「個別的な学び」「協同的な学び」ももちろんあります）。

それはたとえば、鶏小屋を建てるプロジェクトかもしれないし、宇宙の成り立ちを調べることかもしれません。芝居をつくり上げることかもしれないし、洋服をつくることかもしれません。その過程において、子どもたちはいわば学び方を学びつつ、自ら思考し課題を探究・解決していく経験を積んでいくのです。

デューイ・スクール

このプロジェクト型の学びを全面的に採用して教育実践を行った先駆者が、前にも触れたアメリカの教育哲学者ジョン・デューイでした。

一八九六年、当時シカゴ大学の教授を務めていたデューイは、シカゴ大学附属小学校を設立しました。その後シカゴ実験（室）学校と命名され、しばしばデューイ・スクールと呼ばれるようになったこの学校では、その名の通り、伝統的な一斉授業や教え込みのカリキュラムではない、実験的な教育実践が行われました。

『学校と社会』という本の中で、デューイはこういっています。子どもたちには、本来四つの本能的欲求のようなものがある、と。一つは、物を発見したいという欲求、二つめは物をつくりたいという欲求、三つめは自らを表現したいという欲求、最後にコミュニケーションへの欲求です（デューイ一九九八、一〇七～一一一頁）。

こうした欲求・衝動を無視して、子どもたちをただ机の前に座らせ、決められたカリキュラムを決められた通りに進めていくなんて、あまりに不自然だし非効率的すぎる。さらに悪いことには、その過程で、子どもたちがせっかく持っている、これらの本能的力もしばしば奪われてしまうことになる。デューイはそう主張しました。

そこでデューイは、今日「プロジェクト型の学び」といわれる学びのあり方を提唱したのです。子どもたちの、発見したい、物をつくりたい、表現したい、コミュニケーションしたい、という欲求を、最大限活かした教育のあり方です。

この本の中に、次のような印象的な一節があります。

ある時、デューイはシカゴ実験室学校の実践にふさわしい机や椅子を探そうと、シカゴ市内の学校用品店を探し回りました。しかし結局、彼は自分が求めるものを何一つ見つけることができませんでした。店主がいいます。「わたしどもには、あいにくお望みのような代物《しろもの》はございません。あなた方が求めていらっしゃるのは、子どもたちがそこで作業をしてもさしつかえないような代物のようですが、ここにあるものはどれもこれも、先生の授業を聴くためにあるものばかりです」（前掲書、九二頁）。

「先生の授業を聴く」ための机と椅子！　これこそまさに、伝統的な学校教育を象徴するものだ。デューイはそういいます。

彼が求めたのは、何人もの子どもたちが一緒に木工細工をしたり料理をしたりすることのできる、作業台のような机でした。しかし当時の学校用品店には、教科書を開きペンを何本か置けるだけの机しか売られていなかったのです。

子どもたちに必要なのは、受け身で授業を聴き、与えられたドリルを坦々とこなすような、そのような学びではないはずだ。デューイはそういいます。重要なのは、子どもたちが自分たち自身で学びを進めていけるように、たくさんの本を同時に開いたり、何十本ものペン、何十枚もの画用紙を散乱させたり、仲間と議論したりテーブルを取り囲んだりすることのできる、そのような学びのあり方であり空間なのだ、と。

こうしてデューイは、自らの学校を、子どもたちの興味・関心、生活経験、そして協同活動を中心にした学びの空間として設計しました。それぞれの子どもが、それぞれの関心に応じて、料理や布織りなどをすることができる学校をつくったのです。

このデューイの実践および教育理論が、現在の日本の教育にも色濃く影響を与えています。今の日本の学校には、曲がりなりにも、自由研究があったり作業台があったり、また総合的な学習の時間があったりします。

しかしまだまだ十分ではありません。何度も述べてきたように、現代における「学力」とは、とどのつまり「学ぶ力」です。とするならば、自ら課題を設定し挑む「プロジェクト型の学び」を、今後もっと学びの中心に置いていくべきでしょう。

プロジェクト・メソッド

デューイの高弟に、ウィリアム・キルパトリックという人がいます。「プロジェクト型の学び」を、デューイとともに最初に体系化した人として知られています。「プロジェクト・メソッド」と呼ばれるこの方法論は、その後の「プロジェクト型の学び」の原型となりました。

キルパトリックは、「目的ある活動」こそが、学びを導く根本原理であると主張しました(キルパトリック一九六七)。教師からただいわれるがままに勉強するのではない。自らの目的を持って学びを続ける過程でこそ、子どもたちはまさに「自ら学ぶ力」を育んでいくのだと。

主著『プロジェクト法』において、キルパトリックはこんなことをいっています。「学科が終りになると、決然として教科書を閉じ、『あゝ、ありがたいことよ! わたくしは本を読み終った。』と言っている生徒がなんと多いことだろう。一体、どんなに多くの人が教育というものを受けてきたことか、だがその結果は、書物に対しては嫌悪を感じ、思索することには背を向けているではないか」（前掲書、三五頁）。

受け身の「やらされている」勉強から、目的を持った自らの学びへの転換を、キルパトリックもまた教育界において最も早い時期に訴えた人だったのです。

「きのくに子どもの村学園」という、「プロジェクト型の学び」を中心とした有名な学校があります。デューイの影響も大きく受けているこの小・中学校では、授業を文字通り「プロジェクト」と呼び、園芸、工作、地域社会の研究などを中心にした学びが進められています。読み書き計算を中心としたいわゆる「基礎学習」も行われてはいますが、それもまた、プロジェクトの中で、あるいはプロジェクトと関連させて扱われます。

この学校の創設者、堀《ほり》真《しん》一郎《いちろう》氏はいいます。「世間では学力の『定着』には反復練習が不可欠と考える人が多い。しかし、これこそが子どもたちからいちばん嫌われている考えである。そして時間と労力の浪費であり、いわゆる勉強ぎらいがふえる原因なのだ。むしろ私たちは、基礎学習で学んだことをプロジェクトや普段の生活で利用する方を大事にする」（堀二〇〇九、二一九頁）と。

ここにおける教師の役割は、〝教え込む〟ことから、これまで述べてきたような〝学びを支え導く〟ものへと転換しているといえるでしょう。

しかしいうまでもなく、デューイやキルパトリック、あるいは堀氏がいうような「プロジェクト」は、子どもたちの好き勝手に任せる〝教育〟の放棄を意味するものではありません。教師は、子どもたちの学びのプロセスが十分意義深いものとなるようコーディネートし、そしてまた、その結果に責任を持つべき存在として位置づけられているのです。

デューイやキルパトリックのいわゆる「新教育」は、第二章でも述べたように、二〇世紀前半、世界中に広がり、日本にも普及しました。しかし戦後のある時期に、それは子どもたちを放任しやりたい放題させるだけの無責任な教育、すなわち「這《は》い回る経験主義」であると揶揄《やゆ》され批判されたことがありました。

たしかに当時の「新教育」の実践の中には、そういわれても仕方のないものもあったようです。しかしそれはデューイやキルパトリックの考えでは全くありません。彼らの理論や実践は、すべての子どもたちの実りある学びを保障するためにこそ、受け身の学びではない「プロジェクト型の学び」を中心にし、そして教師が、その一人ひとりの学びに寄り添い責任を持つことを求めるものなのです。第七章で論じるように、そのような学びを支え保障できるような教師の力量は、すぐれて専門的なものというべきでしょう。

最終局面にさしかかった学びの転換

ポスト産業社会の萌芽が現れ始めていた二〇世紀初頭のアメリカで、デューイやキルパトリックに代表される「新教育」思想が生まれたのは、ある意味において当然のことだったといえるでしょう。画一的・大量生産型の教育からの脱却を目指した彼らの行きついた教育のあり方は、これまで述べてきたような、学びの「個別化」「協同化」「プロジェクト化」の融合だったのです。

それから一〇〇年余り、時代は大きく変わりました。わたしたちはすでに、学力の本質を、決められた細かな知識の集積よりは「学ぶ力」と呼ばざるを得ない、ポスト産業社会に生きています。デューイらがいち早く感じ取った社会が、日本においてもついに全面的に到来したのです。

第一章で論じたように、それは好むと好まざるとにかかわらず、だれもが多かれ少なかれ「学び続ける」ことを強要される社会であり、見逃せない格差拡大の可能性を抱えた社会です。しかしだからこそ、わたしたちはこれらの問題を克服するためにも、できるだけすべての子どもたちに「学ぶ力」の育成を保障する必要がある。わたしはそう、繰り返し主張したいと思います。

デューイ以来一〇〇年以上にわたる、学びのあり方の長い転換期・移行期は、今、最後の段階を迎えつつあるように思えます。画一的・一斉型の学びから、「個別化」「協同化」「プロジェクト化」を基軸とした、これらの融合型としての学びへの転換です。そして何度か述べてきたように、そのすぐれた理論も実践も、これまで長きにわたって蓄積されてきたのです。より「よい」学びをつくるための思考の材料も具体的な方法論も、もう十分に出そろっているのです。

ただし、しつこいですが、だからといって、わたしはこの学びのあり方だけが絶対に正しいといっているわけではありません。先に、きのくに子どもの村学園の堀氏が、「反復練習」こそ子どもたちに最も嫌われているものだと指摘しているのを見ましたが、おそらく堀氏も、それが絶対にだめだと考えているわけではないだろうと思います。反復練習（ドリル学習）も、時と場合によっては有効な学習でありうるのです。特に子どもたち自身がそれを求めている場合にはそうでしょうし、ドリル学習が向いている子どもも、あるいはそれが必要な時期もあるのです。

このことを何度もしつこく繰り返すのは、より「よい」学びについて考える時、わたしたちは実にしばしば、それ以外の学びのあり方を思わず全否定し、そのことで、思考や実践の幅を自ら狭めてしまったり、余計な対立を生み出してしまったりすることがあるからです。

「百マス計算」を称揚する人たちとこれを嫌う人たちの対立、「学び合い」を称揚する人たちとこれを嫌う人たちのいがみ合いなど、教育界にはさまざまな対立が渦巻いています。序章で論じた公教育の本質（目的）と「目的・状況相関的方法選択」の考え方を自覚していれば、こうした対立も一定解消されるはずなのに、と、わたしは長い間、残念に思ってきました。学びの「個別化・協同化・プロジェクト化」は、現代という時代「状況」におけるより「よい」学びのあり方だとわたしは考えていますが、だからといって、それ以外の学びのあり方を全否定してしまうべきではないのです。

イエナプラン教育

以上、学びの個別化・協同化・プロジェクト化の融合型が、いったいなぜ「よい」といえるのか、縷々《るる》論じてきました。そこで以下、それは具体的にどのような実践でありうるのか、そのモデルを提示することにしたいと思います。

これまでに紹介してきた、デューイ・スクール、ドルトン・プラン、プロジェクト・メソッド、サドベリー・バレー・スクール、きのくに子どもの村学園など、そのモデルになりうる実践はたくさんありますが、以下では、今では日本でもよく知られるようになった、オランダの「イエナプラン教育」を取り上げたいと思います（以下、リヒテルズ二〇〇六参照）。

というのも、この教育プランは、その成果が今日、世界的に高く評価されているだけでなく、長らくオランダが国レベルで取り組んできたものであるからです。

イエナプラン教育が普及する一九六〇年代以前は、オランダでも画一的な教育が主流でした。それを、教育界の人びとの並々ならぬ努力と情熱をもって大きく「個別化・協同化・プロジェクト化」の融合型へと改革した事実は、現代日本のわたしたちを、大いに勇気づけてくれることではないかと思うのです。

イエナプランは、もともとドイツの教育哲学者ペーター・ペーターセンが、イエナ大学の実験校での実践を通して提唱したものです。これもまた、「新教育」の代表的な実践の一つです。

この教育プランは、一九五〇年代にオランダに輸入され、六〇年代以降、本国ドイツとは比較にならないほどの速さと規模で普及することになりました。

その一つの背景には、オランダにおけるいわゆる「落ちこぼれ」問題の深刻化がありました。そしてオランダの教育界は、その主な理由を、画一的な一斉教育にあると分析したのです。

いわゆる「落ちこぼれ」は、〝システムによってつくられている〟部分がきわめて多いのです。これまで述べてきたように、子どもたちは、一人ひとり興味・関心も違えば向いている学びのあり方も違っています。にもかかわらず、すべての子どもに同じ内容を、同じ方法、そして同じ進度で勉強させれば、その方法や進め方に向いた子どもは〝成功〟しても、そうでない子どもは〝成功〟しにくくなってしまうのは当然のことです。要するに画一的な教育システムは、システムそれ自体が、それに合う子どもと合わない子どもを自動的につくり出してしまうものなのです。

これは、実は日本においても、大正自由教育の先駆者だった及川平治《おいかわへいじ》によって早くも指摘されていた問題です。彼は次のように主張しています。

現行教育のごとく、一斉教育をもって本体の教育と誤解し、さかんに遅滞児を製造しておいて、平素その救済法を講ぜず、学年末に至ってにわかに落第の宣告をなすがごときははなはだ不親切なやり方である。純理より言えば、教育には落第制度を設くべきものではないのである（及川一九七二、二四〇頁）。

そこで及川は、画一的な一斉授業から、個々人に合った学びを土台とする個別学習・グループ学習への転換を訴えました（正確には個別学習にはそれほど積極的ではありませんでしたが）。今の日本では、この転換はまだその緒についたばかりです。しかし一方のオランダは、一九六〇年代に、この転換を国レベルで達成することを決意したのです。

イエナプラン教育の大きな特徴は、年齢の違う子どもたちを混合した、マルチエイジの学級編成です。その中で異年齢のグループが組まれ、互いに教え合ったり学び合ったりします。机と椅子の配置は、皆が黒板に向かって座るようなものではなく、各グループごとに島がつくられ、それぞれが個別学習に勤《いそ》しむと同時に、年齢を超えた「協同的な学び」が行われます。教師は、たとえば文法や計算の仕方など、何かを「教える」必要のある時はまず年齢ごとに子どもたちを集めて説明し、その後、個別学習へと誘い、そして各グループを回りながら個別にアドバイスをしていきます。

リヒテルズ直子《なおこ》氏によれば、このマルチエイジのグループ編成は、教師による画一的な一斉授業を防止する役割も果たしているといいます。マルチエイジのグループを、一斉授業によって教えることはほぼ不可能であるからです。それゆえ教師は、どうすれば子どもたち一人ひとりの学びに寄り添えるか、工夫しようとするのです。

もちろんそのためには、ある程度、少人数の学級規模であることが求められます。しかしオランダの小学校は、低学年では二五人以下、高学年でも二五〜三〇人と、特別小さな学級であるわけではありません。それが可能であるのは、先述したように、イエナプランでは個別学習に加え協同的な学びが日常的に行われており、教師一人の力に頼り切る学級・学習モデルにはなっていないからです。

ワールドオリエンテーション

イエナプランでは、「ワールドオリエンテーション」と呼ばれるプロジェクト型の学びも行われています。文字通り、世界へと自らを向けていくプロジェクト、世界探究のプロジェクトです。日本でいうところの総合的な学習の時間に当たりますが、学校によっては時に「おまけ」のような扱いをされることもある日本の「総合」とは違って、イエナプランでは、この「ワールドオリエンテーション」が学習活動全体の中核として位置づけられています。

リヒテルズ氏は、実際に観察した事例として、年長グループ（九歳から一二歳まで）による「北極探検」をテーマにした総合学習を紹介しています。探検に当たって、準備をどうするか、北極ではどのように過ごすか、帰ってきて何を報告するかといったテーマが、二週間ほどかけて探究されたとのことです（前掲書、一〇九〜一一二頁）。

ほとんどの学校では、四〜五週間に一つずつ、毎年八つくらいのこうしたテーマを、学校全体のテーマとして決めているとのことです。つまり子どもたちは、八年間の小学校生活の間に、通算六四個ほどのテーマに取り組むことになるわけです。

ここで注目すべきなのは、この「ワールドオリエンテーション」のためのカリキュラムが、国立カリキュラム開発研究所（SLO）によって豊富に開発されていることです。プロジェクト型の学びは、決まりきったコースをたどる学びとは異なるために、それをファシリテートする教師にはかなりの力量が求められます。そこでオランダでは、まさに国家レベルで、そのカリキュラムを開発し教師の実践を支えているのです。

しかしそれは、あくまでも選択肢として、各学校や教師に〝提案〟されているにすぎないという点が重要です。カリキュラムを画一化してしまっては、元も子もありません。オランダには、学校や教員を、情報提供や研修によって支援する教育サポート機関（ＯＢＤ）もあり、教師が子どもたち一人ひとりの学びを十分達成させられるよう〝支援〟することが、国レベルで行われています。

日本では、総合的な学習の時間が登場した際、教師の創意工夫や子どもたちの自主性を活かした新しい学びのあり方に大いに期待が集まりました。しかし種々の調査が明らかにしたところによると、プロジェクト型学習のノウハウの不足等から、思うような授業が行えず、かなりの割合の教師が「総合」に否定的な考えを持っていた時期がありました。その後、さまざまな総合のカリキュラムが開発されますが、今度は肝心の教師の創意工夫が活かされず、マニュアルに頼った形骸化した授業がしばしば見受けられるようになったと指摘されるようにもなりました。その点、オランダの国レベルでの支援体制は、国が行うととかく画一的になってしまいがちな日本でどれだけ実効性があるかは分かりませんが、少なくとも大いに参考にできるものなのではないかと思います。

また、オランダにおける教員養成は、いうまでもなく、以上述べてきたような教育を実践できるようになるためのプログラムで構成されています。「オランダにおけるイエナプラン教育の普及努力の大半は教員の育成に注がれた、といっても過言ではありません」（前掲書、一七五～一七六頁）とリヒテルズ氏はいっていますが、今後の日本における最も重要な課題の一つも、おそらくここにあるでしょう。

「学力」は保障されるのか？

以上、学びの「個別化・協同化・プロジェクト化」のモデルとして、オランダのイエナプラン教育について概観してきました。

しかし読者の中には、従来通りの「教え込み」「一斉授業」でない授業や勉強の仕方で、本当に「学力」が向上するのか、半信半疑の方もいるかもしれません。そこで以下、この点についても述べておくことにしたいと思います。

本書では、「学力」をさしあたり「学ぶ力」と定義づけました。この「学ぶ力」を正確に測ることは困難ですが、比較的この力に近い知識の「活用力」を測る指標として、OECDのいわゆるPISAテストを挙げることができます。

そこでオランダのPISAテストの結果を見ておくと、年度によって異なりますが、その成績は日本とある程度拮抗《きっこう》しているといっていいだろうと思います。また、今では膨大な報告がなされているために本書では中心的には取り上げませんでしたが、PISAテストで「学力世界一」などといわれ世界から大きな注目を集めてきたフィンランドもまた、学校での学びの基本的なあり方はオランダとほぼ同じです。学びの「個別化・協同化・プロジェクト化」が、「学力」保障・向上において、一定の妥当性と有効性を持った方法であることの証左といえるかと思います。

ただし急いで付け加えておかなければなりませんが、他のあらゆるテストと同様、PISAテストもまた、〝あいまいさ〟と〝恣意性《しい》〟を免れない、あくまでも一つの指標にすぎません。PISAは一応、知識基盤社会における知識の「活用力」を測るテストといわれてはいますが、このテストで本当にそうした力が測れるのか（指標が〝恣意的〟ではないか）、測れたとして、それは本当に正確なのか（〝あいまい〟ではないか）という点については、一定留保しておく必要があるのです。

そもそも、カリキュラムも、育もうとする力や必要とされる能力も、また社会・文化背景もそれぞれに異なる各国の学力を、単純に比較してその高低を測ることなど不可能です。実際、いわゆる旧来型の知識学力を測るとされる、もう一つの国際学力テストTIM

SS（国際数学・理科教育調査）の順位は、PISAとは大きく異なっています。何をどのように測定するかによって、国際比較は大きくその結果・順位を変えるのです。

また、〝対策〟を十分に練れば、テストの成績というのはそれなりに向上するものです。二〇一三年には、PISA二〇一二の結果が公表され、日本が順位を上げフィンランドは逆に順位を下げたことが話題になりましたが、それは日本の教育が、PISAテストに親和的な「学力」育成を目指してきたことに大きな要因があるのではないかとわたしは考えています。実際、PISA二〇一二の調査対象となった当時一五歳の生徒たちが経験してきたのは、基礎的・基本的な知識・理解に加えて、思考力・活用力をバランスよく育もうという、PISA型学力に親和的なカリキュラムでした。その方向性自体は望ましいことだとわたしは考えていますが、いずれにせよ、これまで日本がPISA型学力に親和的な学力向上〝対策〟を練ってきた以上、PISAテストの成績が向上するのは、ある意味において当然のことであったわけです。

テストの順位を左右する背景要因は、複雑かつ多様です。ですから、単純な順位付けだけでその国の「学力」一般を測ったり、過度に一喜一憂したりするのは、あまり生産的なことではありません。

しかしいずれにせよ、もともとＰＩＳＡ型学力に親和的なカリキュラムで教育が行われているとはいえ、オランダやフィンランドがＰＩＳＡで満足のいく成績を収められていることは、やはり注目すべき点といえるでしょう。オランダもフィンランドも、日本に並んで、ＯＥＣＤ加盟国中の成績トップグループに位置しています。

それ以上に注目すべきなのは、これらの国では、日本とは対照的に、学力の格差がきわめて小さいという事実です。授業料や教科書などの教材が無償であることなどもその大きな要因ではありますが、それに加えて、「学びの個別化」「協同化」に、学力格差を縮小する傾向があるといわれています。これまでに述べてきたように、学びの個別化は「落ちこぼれ」を減らし、「協同化」は全体の学力を向上させる傾向があるのです。

日本の子どもたちの「学力」は、いまだ世界トップ水準のものです。その背景には、徹底した教育機会の均等や、教師の献身的な努力などがあります。しかし、進展する学力・教育格差問題や、知識基盤社会への対応を考えれば、やはり学びのあり方を、徐々に「個別化・協同化・プロジェクト化」へと向かわせていく必要があるのではないかとわたしは考えます。そして以上で述べてきたように、子どもたち全体の学力向上においても、また学力格差を縮小するという点においても、学びの「個別化・協同化・プロジェクト化」

は、かなり有効な学びのあり方といえるのです。

第五章　学力評価と入学試験

ここまでを読んで、次のような疑問を持たれた読者の方も多いのではないかと思います。

たとえ「学ぶ力」こそがこれから求められる学力であったとしても、そしてそのために、学びの「個別化・協同化・プロジェクト化」を推進することが重要だとどれほどいわれても、その「学ぶ力」を測定・評価するのは困難なのではないか、と。そして、結局日本に受験がある限り、現実的にいって子どもたちは知識をため込む勉強を中心にせざるを得ないのではないか、と。要するに、受験が変わらない限り、教育は結局変わらないのではないだろうかという疑問です。

そこで、評価と受験の問題について、本第Ｉ部の最後に論じておきたいと思います。

評価の問題をどうするか？

まず評価についてですが、学力の評価には、大きく二つの目的があります。一つは「選抜」のため、そしてもう一つは、学習者や教師が、それまでの学びの成果を振り返ることで、これからの学びや授業のあり方の「改善」につなげていくためです。

一つめの「選抜」についてですが、このテーマに関して最初に十分理解しておくべきは、先述したように、学力の測定・評価には必ず〝あいまいさ〟と〝恣意性〟がつきものだということです（広田二〇一一参照）。つまり、「能力」は本来、正確に測ることなどできない上に、何をもって能力があるとするかは、かなり恣意的だということです。

先に述べたように、PISAとTIMSSとでは国際比較の順位が大きく異なっています。これはつまり、何をどのように測るかを変えれば、「能力が高い」といわれる人の層も変わってくるということです。

あるいは、一九九〇年代にはいわゆる「新しい学力観」が導入され、評価観点のトップに「関心・意欲・態度」が置かれました。現代社会においては、学びへの「関心・意欲・態度」が求められている、という理由からでした。しかしこのような観点を重視したことにより、たとえばテストで満点を取っても、「態度」が悪いとか「意欲」が欠けているとか見なされると、評価を下げられてしまう可能性が出るようになったのです。

この問題については、いわゆる「内申書の支配」に苦しめられる子どもたちの問題として、非常に多くの批判が寄せられています（佐藤一九九九、尾木二〇〇二など参照）。いずれにせよ、何をもって「能力」と見なすかは、以上のようにかなり恣意的なものであり、またその人の「能力」を正確に測れているなどとは、とてもいえないようなものなのです。

したがって選抜（およびそれに伴う序列化）は、必ずしもその人の「能力」を十分に反映したものではないということを、まずはしっかりと理解しておく必要があります。というより、本来能力とは多様なものであるにもかかわらず、これを一元的な評価軸において序列化してしまうのは、産業主義の時代であればまだしも、ポスト産業社会の現代においてはきわめて無理のある話なのです。

とはいえ、選抜というものは、少子化に伴って少しずつ減少してはいるものの、どうしてもある程度は存在し続けるものです。この問題をどう考えればいいかについては、このすぐ後に、受験問題をどう考えるかというテーマで論じることにしたいと思います。

実りある学びのための評価

評価のもう一つの目的、すなわち学びや授業の改善に活かすための評価についてですが、「学ぶ力」の測定が難しい以上、この目的を達成するための評価もまた、やはり難しいのではないかと考えられるかもしれません。

たしかに、繰り返しますが「学ぶ力」の正確な測定は不可能です。しかし、その目的が「学びや授業の改善に活かすため」であるとするならば、その手がかりとするための「評価」は、一定可能といえるだろうと思います。

たとえば近年、「パフォーマンス評価」と呼ばれるものが注目されています。これは、「学力」を単純にペーパーテストの数値で評価するのではなく、子どもたちの「パフォーマンス」(ふるまい)を観察し、それをさまざまな観点(ルーブリック)を通してできるだけ総合的に解釈しながら評価していく方法です。測りにくいいわゆる「見えない学力」を、できるだけ可視化するための方法とされています(松下二〇〇七参照)。

もちろん、こうした評価方法をどれだけ駆使しても、「能力」の測定・評価からあいまいさと恣意性を完全に取り除くことはできません。しかし先述したように、「子どもたちの学びと教師の授業の改善」という目的のためであれば、その手がかりとして一定の有効性を持ったものといえるでしょうし、そのための方法は、今後もより改善・開発されていくだろうと思います。

要するに、「学ぶ力」としての学力の「評価」は、そのあいまいさと恣意性のために、子どもたちの人生を大きく決定づけてしまう「選抜」の基準とするにはあまりに乱暴な話だとしても、「子どもたちの学びと教師の授業の改善」という目的のためであれば、それなりに有効な方法として整備していくことができるはずなのです。その意味で、「学ぶ力」としての学力を、できるだけすべての子どもに保障できるよう、その評価を活かしながら育んでいくことは、おそらく一定程度は可能だろうと思います。

受験の問題をどうするか？

さて、しかしそうはいっても、日本には結局のところ受験がある。そして高校受験、大学受験が従来の知識型「学力」を問うものである限り、義務教育段階における「学ぶ力」としての学力育成は、困難であり続けるのではないだろうか。先に述べたように、そう思われる読者もいるかもしれません。

わたしの考えはこうです。高校受験のあり方も大学受験のあり方も、これから少しずつ、しかし大きく変わっていくだろう、と。

これには、互いに関係し合う二つの大きな理由があります。一つは、大学もまた、いやむしろ大学こそが、知識基盤社会への対応を求められているという点です。もう一つの理由は、先にも触れた少子化です（金子二〇〇七参照）。

今、多くの大学は、グローバル化に伴って、世界標準の教育機関たらねばならないという社会からの厳しい要請を突きつけられています。そのことの是非はさしあたり措くとして、大学は今そのために、従来のような知識ため込み型「学力」競争に勝ち抜ける生徒だけを選抜して入学させるというわけにはいかない状況になっているのです。したがって大学入試のあり方も、この知識基盤社会に対応したものへと変化していくものと思われます。

もちろん、世界標準を求められているのはいわゆる上位大学だけです。しかしそうした大学の入試制度が変われば、大学全体の入試のあり方も、今後大きく変わっていくでしょう。これまで主流だった知識ため込みゲームが、少しずつ崩れていくだろうからです。

加えて、少子化を主な理由に、いわゆる大学全入時代が到来しています。そのため、熾《し》烈《れつ》な大学受験競争は、一部ではこれからも続くにしても、かつてに比べればかなり緩和しているのが現状です。

となると、これからますます起こると考えられるのが、大学の多様化です。戦後、大学がマス化・ユニバーサル化（大衆化）していく過程において、日本の高等教育政策は、「種別化」「個性化」「機能別分化」といったキーワードによって、その多様化を提言・実施してきました。ただしそこには、「これまで『格差』として意識されてきた多様性を、客観的・具体的な数字で表面化させることを意味して」（天野二〇一三、九二頁）いるという批判、つまり、多様化という名の序列化がもたらされてきたという批判も寄せられています。

しかし、それがどのようなあり方であるにしても、今後大学はますます多様化し、そしてそれに伴って、大学受験もいっそう多様化していくものと思われます。従来の、どれだけの知識を蓄えることができたかという一つの評価軸上での競争よりも、それぞれの大学がどのような学生を求めるのかを明確にし、そしてそれに沿って受験形態・内容が多様化していくといったことが、さらに促進されることになるでしょう。

そこで起こるであろう（すでに起こっている）問題については後述しますが、このように入試が多様化すれば、従来のような知識ため込み型「学力」育成の動機もまた、初等・中等教育において、これまで以上に薄らいでいくのではないかと思います。

実際、入学試験制度には「選抜型」と「資格型」の二種類があり、従来、上級学校には定員制があることから「選抜型」が主流でしたが、今ではいかに「資格型」にしていけるかが模索されています。つまり、相対評価と序列化による選抜ではなく、「これこれの資格を満たしている者の入学を認める」という方式です（田中二〇一〇参照）。

二〇一三年、センター試験をそうした資格型試験へと移行させていこうという方針が打ち出され、大きな話題を呼びました。一点を争う序列・選抜型ではない、資格型試験への転換です。こうした流れを見ても、今後の入試形態は、知識ため込み型よりは、一定の「学力」（資格）を満たした上での多様化へと、大きく移行していくものと思われます。

よく、大学入試制度が変わらないと教育は変わらない、といわれます。しかしむしろ、初等・中等教育における学びのあり方の変化と、大学の変化とが、相互作用しながら教育のあり方は変わっていくといった方が正確です。そして繰り返し述べてきたように、知識基盤社会、ポスト産業社会を迎えた今、それが大学であろうと初等・中等教育であろうと、学校における学びのあり方の転換は、もはや不可逆のものになっているのです。学校がその育成を求められる学力のあり方は、今後、従来の知識ため込み型の学力から「学ぶ力」としての学力へと、よりシフトしていくだろうとわたしは思います。

高等教育の問題

話が大学入試におよびましたので、本章の最後に、右に述べてきた大学全入時代や大学の多様化が抱える問題についても、少し論じておくことにしたいと思います。そしてささやかながら、その解決のための方向性を提言しておきたいと思います。

第一に、よくいわれる大学教育の「質」の低下の問題があります。

ここでいう「質」は、「学力」と同様、何をもって「質」というかかなり難しい問題です。しかし今はその中身は問わないにしても、大学がユニバーサル化すれば、何らかの「質」の低下が起こるのは避けられないことといっていいでしょう。

そこで今、高校と大学の「学びの接続」が課題とされ、この間のギャップを埋めるために、レポート・論文の書き方やプレゼンテーションの方法、そして文献検索の方法などを教える「初年次教育」が、七割以上の大学で実施されるにいたっています。

しかしここには、ある困難な問題もまた潜んでいます。というのも、今多くの大学は、先述したように、グローバル化に伴い世界標準の教育機関たらねばならないという、社会からの厳しい要請を突きつけられているからです。

また、いわゆる「高等教育の質保証」が叫ばれ、経済産業省が提唱する「社会人基礎力」や、文部科学省が提唱する「学士力」といったものが、今大学では重視されるようになっています。専門的な知識・技能だけでない、職業生活に必要な雇用可能性と、市民生活に必要な市民性——汎用性の高い能力、「ジェネリック・スキル」と呼ばれています——の育成が求められているのです（杉原二〇一〇）。

「質」の低下の問題に対処しながらも、「世界標準」や高度な「汎用性の高い能力」の育成を求められる。この苦しい課題を、今、大学は突きつけられているわけです。大学教育は現在、大きな転換期にあり、それゆえにさまざまな矛盾が吹き出し始めているのです。

また、高等教育の大衆化を一つのきっかけに、民主主義が危機に瀕《ひん》し始めているという見解もあります。かつては一部の人間しか進学することのできなかった大学に、今では約半数の若者が進学するようになっていますが、そのことで、高等教育を受けた人たちの間での序列化の問題が起こっているからです。

かつての大学卒業者は、社会の〝エリート〟として、多くの人たちからの承認を曲がりなりにも与えられていました。しかし半数もの若者が大学に進学するようになった今、人学卒業者はもはやエリートではなく、大学卒業者の中で、エリートと中程度のエリート、非エリートといった、細分化された序列化が起こっているのです。それはつまり、〝エリート〟以外のほとんどの人たちの「平等性」がある意味で保たれていた社会が、崩れてしまったということです。

「社会は、まるでミルフィイユのようにいくつもの薄い層が重なる様相を帯びる」ことになる。そして、「階層と階層の間のコミュニケーションは希《まれ》に」なる。人口学・人類学・歴史学者のエマニュエル・トッド氏は、そう指摘しています。そしてそれは、人びとの平等性を何とか保障しようとしてきた、民主主義の危機の可能性をはらんでいるのだと（トッド二〇〇九、一一八頁）。

こうした問題を今後どう克服していくことができるかについては、本章のテーマを大きく逸れるためここで主題的に論じるわけにはいきません。しかし、これからのより「よい」教育を構想するという本書のテーマからすれば、避けては通れない、今後の大きな課題だということができるでしょう。

そこで一つだけいっておくと、高等教育の大衆化に伴う右のような問題を克服するためには、高等教育の「多様化＝序列化」ではなく、「序列化の伴わない多様化」へと、大学のあり方を向かわせる必要があるのではないか、わたしはそう考えています。

生き方の多様化に伴って、専門的な知識・技能も多様になります。ということは、別にどの大学に行くことが〝エライ〟という話ではなく、若者たちは、自らの〈自由〉、つまりできるだけ生きたいように生きられる機会を与えてくれる大学で学べばいいということです。その上で、社会は、異なる専門間を行き来できるような機会や、学び直し（生涯学習）の機会をしっかり保障していく必要があるのです。

一部のいわゆる上位大学は存続するにしても、生き方の多様化に伴って、大学もまた多様化し、一元的な評価軸における勝敗・序列化にはなじみにくいものになっていくでしょう。あるいはそのように、今後、高等教育を設計し直していく必要があるでしょう。

そうすれば、初等・中等教育機関もまた、それに応えてますます変化していくものと思われます。「学ぶ力」としての学力を、どうすればすべての子どもたちに育むことを保障できるか。これが、特に義務教育において、やはり今後第一に考えるほかないテーマになるはずです。

第Ⅱ部　「よい」学校をつくる

第六章　学校空間の再構築

本第Ⅱ部では、より「よい」学校をどうつくっていけるか、考えていくことにしたいと思います。

いうまでもないことですが、学校は時代と共に変わっていく（べき）ものです。しかしその際つねに忘れてはならないこと、それは何度もいうように、学校は、社会における〈自由の相互承認〉の原理の土台であり、また同時に、すべての子どもの〈自由〉を実質化するための機関だということです。学びのあり方を考える時も、学校のあり方を考える時も、わたしたちはつねにここに立ち戻りながら、教育を構想していく必要があるのです。

では今日、わたしたちは学校という場所を、いったいどのようにつくっていけばよいのでしょうか。

第Ⅰ部のはじめに、公教育が育成を保障すべき〈教養＝力能〉は、大きく分けて二つあるといいました。一つはいわゆる「学力」、もう一つは「相互承認の感度」です。「学力」

についてはこれまでに詳論してきました。そこで本第Ⅱ部では、後者、つまり「相互承認の感度」を育むための学校空間を、これからどのようにつくっていけばよいか、考えていくことにしたいと思います。

「相互承認の感度」は、わたしの考えでは次の三つをその本質的な内実としています。一つは自分を承認できること、二つは他者を承認できること、そして三つは、他者からの承認を得られること、です。

自分を承認することができなければ、人のこともなかなか認められないものです。また、他者からの一定の承認を得られなければ、やはり自分も他者を承認しようとはなかなか思えないものです。「相互承認の感度」は、自己承認、他者承認、そして他者からの承認という、三つの条件がそろってようやく十全に育まれるものなのです。

ではこの「相互承認の感度」育成の場として、今の日本の学校は、どの程度機能しているでしょうか？

まず教育の機会均等は、そのための最低条件です。生まれの違いによって受けられる教育に著しい差があれば、「どうせあいつらは金持ちだから」とか、「どうせあいつらは田舎者だから」といった具合に、「相互承認の感度」の育成を最初から掘り崩すことになってしまうからです。そして日本における この教育の機会均等は、近年いくらか掘り崩されてきた感もありますが（この点については第八章で詳論します）、今なお、世界的に見れば高い水準で維持されているといっていいでしょう。

しかし他方で、今の学校は、「相互承認の感度」を育むどころか、むしろこれを自ら打ち砕いてしまうような場になっていることもしばしばです。いじめ、体罰、空気を読み合う人間関係……。これらはいずれも、互いを一個の人格として承認し合うものでないばかりでなく、むしろ「相互不信」「相互嫌悪」をこそ育んでしまうようなものです。その意味で、今の学校は、その使命を自ら台無しにするような空間に、しばしばなってしまっているのです。

こうした問題を、わたしたちはどうすれば解決していくことができるでしょうか。本第II部では、このテーマについて次の二つの観点から考えていくことにしたいと思います。

一つは学校空間のあり方（本六章）、二つめは、教師の役割や資質（第七章）についてです。

「学級」の誕生

学校空間のあり方について から始めましょう。

学校といえば、わたしたちはまず三〇～四〇人の、同一年齢の子どもたちからなる、いくつもの「学級」をイメージします。

しかし今、この「学級」を舞台にさまざまな問題が噴出しています。いじめしかり、不登校しかり、自らをキャラ化し、キャラ化され、空気を読み合うことを強いられる「友だち地獄」(土井二〇〇八、二〇〇九)しかり。学級崩壊は、文字通り「学級」の自明性を揺るがす現象だといっていいでしょう。

こうした現象は、従来のような「学級」という仕組みそれ自体が、今や時代にそぐわなくなってしまっていることを意味しているのではないでしょうか。もしそうだとするなら、わたしたちはこれを、いったいどのように改変していくことができるでしょうか。以下、本章では、そのような観点から、より「よい」学校空間のあり方を模索していくことにしたいと思います。

まず、「学級」の歴史を軽くおさらいしておくことにしましょう。

教育社会学者の柳治男《やなぎはるお》氏によると、今日のような「学年学級制」、つまり同一年齢の子どもたちからなる学級制が誕生したのは、一八六二年、イングランドの「改正教育令」においてでした（柳二〇〇五、第三章第2節）。学年学級制は、教育への国家介入が強められていく中で、国家によるいわば中央統制のツールとして導入されることになったのです。

どの学校においても、同じような教育を与え、同じような成果を収められるようにするためには、全国一律の画一的なカリキュラム、画一的な教育形態が必要となります。生徒の成績もまた、十分に管理しなければなりません。それを可能にするためには、できるだけ生徒たちの移動を抑制し、学習進度をそろえる必要があったのです。

要するに「学級制」とは、子どもたち一人ひとりの質の高い学びを保障するというよりは、管理の効率性の方により重点の置かれた制度として始まったものだったのです。

このような「学級」は、子どもたちを規律化し統制する装置としても機能しました。哲学者のミシェル・フーコーが、学校を規律・訓練型の権力として描き出したことはよく知られていますが（フーコー一九七七）、こうした規律・訓練、管理・統制を特徴とする学校・学級には、すでにその草創期から、強い反発があったといわれています。興味や意志とは無関係に、集団生活を強いられ権威的秩序に無理やり従わされる生徒たちが、学校や学級に不満をためていったのは当然のことだったといえるでしょう。

「学級」における教師の役割

そこで学校や教師も、やがて自らのあり方を変えていく必要に迫られることになります。管理者・権威者としての教師から、慈愛に満ちた、子どもたちのよき指導者としての教師像への転換です（柳二〇〇五、第四章第2節）。

しかしこうした教師像は、多くの場合、学校や学級の自明性を前提としたものとならざるを得ませんでした。クラスになじめない子どもたち、そこから疎外される子どもたちを、いかに温かく学校・学級の中に再統合していくか。それは、ある意味では子どもたちをソフトな仕方で学級文化へと飼い馴らすということです。「慈愛に満ちた教師」は、皮肉なことに、クラスからはみ出る子どもたちの存在を許さない、ある意味ではきわめて暴力的な存在になったのです。

事情は日本においても同様でした。むしろ日本では、クラスをさらに「感情共同体」へと変容させるという、独自の文化もまた形成されました。

日本において「学級制」が初めて登場したのは、明治二四（一八九一）年の文部省令第一二号「学級編制等ニ関スル規則」においてでした。ここにおいて意図されていたのは、「起立」「礼」「着席」に顕著に見られる、集団的命令への従順さの涵養《かんよう》でした（前掲書、第五章)。

こうしたあからさまな規律化への反発として、日本では、クラスを「感情共同体」へと変容させるという、独自の道が開かれることになったのです。

「学級は一つの共同体であるべきだ」という規範や、「仲間作り」の文化などが重視され、「生徒と一体」の教師こそが理想の教師だとされるようになりました。内面と内面において美しくつながり合った教師と生徒、そして学級。これが今日にいたるまで、日本で多かれ少なかれ理想とされている「学級」像だといっていいでしょう(前掲書、第一章第2節)。

しかしこのような濃密な「共同体」においては、クラスになじめないこと、場の空気を読めないこと、集団としての規律を乱すことなどが、単純に「悪」と見なされやすくなってしまう傾向があります。そしてわたしたちは多くの場合、それはシステムに問題があるのではなく、子どもの心性や態度の方に問題があるのだと考えてしまいがちです。さらには、そのような子どもたちの心性や態度は、教育によって〝矯正〟されなければならないのだとさえも。

しかし、ただ年齢が同じだというだけで、ある時からいきなり一つの空間に押し込められ、自分で選んだわけでもない人間関係を、その後何年間も送り続けなければならないということは、子どもたちにとっては不自然かつ相当にストレスの多い空間になりかねません。中には、どうしても馬の合わないクラスメイトや、自分を傷つけてくるような相手もいるかもしれません。それでも「学級制」は、子どもたちがそこから抜け出すことを、多くの場合なかなか容認しようとはしないのです。

〝矯正〟されるべきは、むしろこの不自然なシステムの方にあるのではないか。少なくとも、強固な「学年学級制」を最善の制度と自明視することからは、脱却する必要があるのではないか。わたしはそう思います。

過重な同質性要請

もちろんわたしは、「学級制」は何がなんでも絶対ダメだなどといっているわけではありません。ただ、強固な「学級制」だからこそ教育的に意義がある――つまり〈自由〉と〈自由の相互承認〉のために意義がある――といえるようなものは、今日《こんにち》それほど多くないのではないかと考えています。

学級という集団の中でこそ、ねばり強く人間関係を築いていくことができるのだ、といわれるかもしれません。合わない人ともうまくやっていくことで、〈自由の相互承認〉の

〝感度〟が育まれるのだ、ともいわれるかもしれません。

そういう部分も、たしかにあるだろうとは思います。しかしたとえば、合わないどころかひどいいじめの標的にされている生徒にまで、いじめをしてくる人たちとねばり強く人間関係を築いていけなどというのは、あまりに酷な話でしょう。

今の学級制は、多くの場合、「人間関係の流動性」があまりにもなさすぎだとわたしは思います。その上、クラスの団結、仲間意識、といったものが強調されすぎて、そこから抜け出すことがなかなか許されない。

しかし、いじめが顕著な例ですが、そのことで、自らの〈自由〉を著しく傷つけられている子どもたちが多数存在しているのもまた事実です。そこで重視されているのは、「相互承認」ではなく〝ノリ〟や〝空気〟です。〝ノリ〟や〝空気〟を乱さないということが、暗黙のルールとされているのです（内藤二〇〇九）。

社会学者の土井隆義《どいたかよし》氏によると、今日のいじめの多くは、異質な人間を排除しようとするものというよりは、「同質な者どうしによる常時接続の息苦しさに風穴を開けようとするもの」（土井二〇〇九、二一頁）として起こっています。実際、いじめは疎遠な間柄や日頃から仲の悪い子どもたち同士の間で起こるというよりは、「よく遊ぶ友達」の間で起こることの方が、圧倒的に多いことが確認されています（森田二〇一〇、九〇～九一頁）。

いじめが最初に「社会問題」化したのは、一九八〇年代半ばのことです。それまで社会は、いじめを今日のような「問題」として、それほど意識してはいなかったのです。いじめ研究もまた、一九六〇～七〇年代のスカンジナビア圏に現れたのが最初で、日本でも本格化したのは、ようやく八〇年代に入ってからでした（前掲書、第１章第１節）。

なぜ、八〇年代半ば頃から、人びとはいじめを認知し、しかもそれを「社会問題」と捉えるようになったのでしょうか。

それはもちろん、「いじめを苦にした自殺」が相次いで報道されたことを大きなきっかけとしています。しかしより広い視野から見るならば、そこに大きな社会構造上の変化があったことを指摘することができるでしょう。学校・学級は、この構造上の変化をある意味で最も純粋な形で映し出した空間として、人びとに認知されることになったのです。

日本社会を支えてきた価値観は、一九八〇年代半ばあたりから急速に多様化していくことになりました。それに伴って、学校における人間関係にも大きな変化が見られるようになります。明確な序列がなくなった――少なくとも、なくならなければならないとされるようになった――今、クラス内の人間関係もまた、「同質」であることがかつて以上に求められるようになったのです。

かつて、ものごとの価値にある種の〝絶対的〟な序列性があった頃、子どもたちは、その序列の中の自分の「地位」をある程度明確に認識していました。成績の序列や親の経済力の序列など、いい悪いは別にして、「人物評価の基準それ自体は明瞭なものだった」（土井二〇〇九、一四頁）のです。

しかし価値観の多様化に伴って、この基準があいまいになり、「同質性」を求める〝空気〟が、クラスにますます蔓延《まんえん》するようになっていきます。その中でどうしても上下関係が生じそうな場合は、あらかじめいわゆる「スクール・カースト」を設定し、異なるカーストとして認知の対象から除外します。こうして子どもたちは、ますます、できるだけ同質な仲間と共につながろうとするようになったのです。

もちろん、その程度は地域や学校によってさまざまです。右に述べたような現象を、安易に一般化するわけにはいきません。しかし、以上述べてきたような現象が広がっている傾向は、これまで多くの論者が明らかにしてきたところです。

要するに、今日多くの子どもたちは、閉鎖的な空間の中でますます同質性の中に沈み込み、その中でできるだけ摩擦を起こさないよう、〝空気〟を読み合いながら学校生活を送っているのです。

それはある意味では、「一皮むけば簡単に傷つきやすく、じつは非常に危うい関係」（前掲書、一二三頁）です。少しでもその同質性が侵されたと思われれば、侵した者は容易にいじめや排除の対象になってしまうからです。

群生秩序とその背景

こうした濃密な同質性を要請する集団秩序のことを、社会学者の内藤朝雄《ないとうあさお》氏は「群生秩序」と呼んでいます。そしていいます。

> この倫理秩序に従えば、「よい」とは、「みんな」のノリにかなっている、と感じられることだ。
>
> いじめは、そのときそのときの「みんな」の気持ちが動いて生じた「よい」ことだ。いじめは、われわれが「いま・ここ」でつながっているかぎり、おおいにやるべき「よい」行為である。いじめで人を死に追い込む者は、「自分たちなり」の秩序に従ったまでのことだ。

大勢への同調は「よい」。ノリがいいことは「よい」。周囲のノリにうまく調子を合わせるのは「よい」。ノリの中心にいる強者（身分が上の者）は「よい」。強者に対してすなおなのは「よい」（内藤二〇〇九、三九頁）。

したがって、このような「群生秩序」においては、同質性を侵すこと、ノリの秩序を侵すことが最大の「悪」なのです。

「みんなから浮いて」いる者は「悪い」。「みんな」と同じ感情連鎖にまじわって表情や身振りを生きない者は、「悪い」。「みんなから浮いて」いるにもかかわらず自信を持っている者は、とても「悪い」。弱者（身分が下の者）が身の程知らずにも人並みの自尊感情を持つのは、ものすごく「悪い」（前掲書、四〇頁）。

もちろん、このような「群生秩序」はいつの時代にも発生するものです。しかしそれがなぜ今日ますます問題化しているかといえば、その一つの要因は、やはり先ほど述べた、価値観の多様化に伴ってかえって露《あらわ》になった同質性への過重要請にあるといえるでしょう。明確に序列化されていた個々人が、その序列から解放されたことで、かえって個々人を個々人たらしめる指標が失われ、集団の中における位置づけが、きわめてあいまいな〝空気〟に支配されることになったのです。分かりやすい指標が失われてしまったからこそ、ノリがよく空気を読める〝能力〟がこれまで以上に求められるようになり、そしてその〝能力〟にしたがって、新たな序列が顕在化するようになったのです。

もっとも、価値観の多様化それ自体は、〈自由〉と〈自由の相互承認〉の観点からいって本来望ましいことです。

近代以前、個々人の価値観は、家族や共同体に縛られ、今と比べれば圧倒的に自由ではありませんでした。好むと好まざるとにかかわらず、お上に忠誠を尽くし、親の決めた相手と結婚し、代々同じ職業を続ける、といったことが、当然のこととされていたのです。そこには、言論の自由も、思想信条の自由も、財産や時に生命の自由さえもありませんでした。

しかし近代以降、ということは、各人が〈自由〉で対等な存在であるというルールが少なくとも建前上は定められて以降、わたしたちは、他者をひどく傷つけるのでない限り、どのような価値観を持とうが自由である、という社会的な合意を、まだまだ不十分ではあったとしても、とりあえずは獲得するにいたりました。そしてこのことは、やはりわたしたちの〈自由〉の、最も重要な条件の一つであるのです。

しかしこの価値観の多様化の進展が、皮肉なことに、今日ではまた新たな問題を生み出していきます。明確な価値が失われてしまった今、わたしたちは何を確固たる目標として生きていけばいいか分かりづらくなり、そしてまた、価値の拠り所を失ってしまった集団の中で、空気を読み合う人間関係を多かれ少なかれ送らなければならなくなっているのです。

しかしだからといってわたしたちは、この価値観の多様化に抗《あらが》い、ふたたびこれを統合しなければならない、などというわけにはいかないでしょう。先述した通り、価値観の多様性を承認することこそが、〈自由の相互承認〉の根本条件だからです。

ではわたしたちは、学級における苛烈な群生秩序の問題を、いったいどうすれば解決していくことができるでしょうか？

逃げ場のない教室空間

改めて、学校・学級の〝閉鎖性〟に注目してみましょう。

学級においてこれまで以上に群生秩序がはびこっている社会構造上の要因は、右に述べてきた価値（観）の多様化にあります。しかしその一方で、その学校構造上の要因は、わたしの考えではやはり〝逃げ場のない教室空間〟にあるというべきです。社会の価値観は多様化しているのに、学校はその多様性を、いまだ一つの空間・様式にいわば囲い込んでしまっているのです。

「はじめに」でも述べたように、近代のはじめにおいて、子どもたちを学校に〝囲い込む〟ことにはある大きな意義がありました。それぞれの土着的で閉鎖的な〝習俗〟から子どもたちを解き放ち、生まれの違いに関係なく、だれもが同じ対等な人間として教育を受けられるようにするという意義です。わたしたちが曲がりなりにも〈自由の相互承認〉の感度を育めているのは、この〝習俗からの解放〟としての学校教育のおかげなのです。

しかし時代は大きく変わりました。現代のわたしたちが直面しているのは、むしろ学校が新たな〝習俗〟になってしまったという問題です。価値観の多様化とその相互承認が進展している一方――あるいは進展させなければならないにもかかわらず――学校・学級は、その多様性を許さない〝空気〟を持った、新たな〝習俗〟になってしまっているのです。

学級は、子どもたちがその生活の大半を過ごす場所です。そして子どもたちは、多くの場合、学級を〝ここにしか居場所がない〟場所と考えます。そんな空間で、いじめが起こったり群生秩序が苛烈をきわめてしまったりするならば……。
内藤氏は次のようにいっています。

赤の他人が無理矢理ベタベタするよう集められた学校で、生徒たちは生活空間を遊びのノリで埋め尽くし、そのノリに仕えて生きる。空騒ぎしながらひたすらノリを生きている中学生のかたまりは、無秩序・無規範どころか、こういったタイプの秩序に対して、はいつくばって卑屈に生きている（前掲書、三八〜三九頁）。

柳氏もまた、次のように述べています。

いじめ対策のために、「心の教育」の重要性を強調したり、不登校問題解決のためにカウンセラーを配置したりするなど、いろいろな対策を講じても、何ら改善の兆《きざ》しが見えないことと、「学級」の存在が自明視されていることとは、無関係ではないだろう（柳二〇〇五、三頁）。

〝逃げ場のない教室空間〟が、今日のいじめや苛烈な人間関係の、最も大きな要因になっている。わたしもまた、内藤氏や柳氏同様そう考えています。

人間関係の流動性を

ではわたしたちは、この問題をどうすれば克服していくことができるでしょうか？

わたしの考えでは、それは、それぞれの生徒が、自分なりの仕方で多様な人たちと多様な人間関係をできるだけ豊かにつくっていける環境を整備することです。過度に同質性を求められる集団の中で、時に〝サバイバル〟しなければならない空間に子どもたちを閉じ込めるのではなく、「人間関係の流動性」をある程度担保し、同質性から離れられる機会を保障するのです。そのことによって、多様な生徒たちが、〈自由〉な存在同士として相互承認関係を互いに築き合っていけるような機会をつくり出す。そうした一定の流動性に開かれた学校空間の設計が、今日きわめて重要なのではないかと思います。

人間関係を流動化すれば、ますます〝同質性を要請し合う者同士〟だけで固まるようになるのではないか？　そう思われるかもしれません。しかしそれは、〝同質性を要請し合う者同士〟だけで固まらなくていいような流動性の仕掛けをしっかり用意することさえできれば、ほとんど起こらないことです。その具体的なアイデアについては、後で論じることにしたいと思います。

ただ一方で、「相互承認の感度」を育むために必要な人間関係やコミュニティは、成長過程に応じて異なるのだということも、わたしたちは十分自覚しておくべきです。保育や幼児教育の現場など、低年齢の子どもたちにとっては、多様な人たちがあまりに激しく出入りする環境は、むしろ不安をかき立ててしまう場合が多いものです。低年齢の子どもたちの学びの場では、それゆえある程度の「護られた同質性」（西村二〇一三）が必要です。彼らにとっては、同質な「学級」はむしろ必要なものである場合が多いのです。

ということはつまり、わたしたちは、子どもたちの成長に伴って、「護られた同質性」から「流動性のある人間関係」へと、少しずつ開かれていくような学校空間を設計していく必要があるということです。それは別のいい方をすれば、幼い頃の庇護《ひご》とルールを与えられる空間から、成長に応じて、多様な人たちとの関係を自らつくり、またルールを互いにつくり合っていく空間へと、学校のあり方を展開していくということです。

ノリや空気の中でサバイバルする力は、時には大切なものであるかもしれません。しかしそれは、学校が育むべき〈教養＝力能〉の本質ではありません。互いを〈自由〉な存在同士として承認し合った上で、多様な人たちが共に納得できるルールをつくり合っていけること。そのような〈教養＝力能〉を育むことこそが、公教育の重要な本質なのです。

流動性の仕掛け

ではここでいう「人間関係の流動性」を、わたしたちはどのようにすればつくり出していくことができるでしょうか？

それぞれの学校の状況に応じて、さまざまな方法が考えられます。

あくまでも一例ですが、たとえば第四章で見たイエナプラン教育のように、異年齢・異学年からなるクラスを編制する方法もあるでしょう（もっとも、上下関係がはっきりしている日本の特に中学校以上の学校では、むしろ子どもたちを萎縮させてしまう場合もあるかもしれませんが）。

あるいは、保護者や地域の人たちなど、外部に学校を開き参加してもらうのも一つの手です。閉鎖的になりがちな学級の、風通しをできるだけよくするのです。

今、保護者や地域の人が学校の運営にかかわる、「コミュニティ・スクール」が全国的に広まっています。その中には、学校選択制に基づいて、親が自ら選択した学校の運営にかかわっていくというタイプのものもありますが、これには、学校間格差と序列化を生み、かえって地域コミュニティを壊してしまいかねないという問題が指摘されています。選ばれる学校と選ばれない学校が現れ、選ばれる学校に行ける家庭の子どもと行けない家庭の子どもに分かれてしまう傾向があるのです。序章で述べた〈一般福祉〉の原理に基づくならば、そうした選択を土台としたコミュニティ・スクールが一般化するのは、あまり望ましいこととはいえません。

開かれた学校づくりは、学校間の競争を煽《あお》るためのものではありません。教師と保護者と地域の人たちが協働し合って、子どもたちの「相互承認の感度」を育む学校空間を整備すること、それがコミュニティ・スクールの本来の目的であるべきです。

ちなみに、子どもが教師の意のままにされている、子どもを人質に取られている、と思えば、親は教師に文句をつけたくなるものです。しかし学校を開き、その運営に親や地域の人たちが何らかの仕方でかかわれるようになれば、多くの人は協力的になりやすいものです。いわゆるモンスター・ペアレンツが長らく問題になっていますが、開かれた学校づくりは、うまくいけば、この問題を克服するための一つの方途にもなりうるでしょう。

人間関係の流動性の仕掛けとして、ほかにも、担任の先生が入れ替わり立ち替わりするという方法もあるかもしれません。一人の先生が、三〇〜四〇人の生徒全員に十分目配りするというのは、現実的にいってかなり難しいことです。生徒が多ければ多いほど、たとえばいじめにも気がつきにくい。さらに深刻な問題として、先生もまたいじめに加担してしまうということもあります。教師も人間だから、どうしても好き嫌いはある。いじめをしている子がお気に入りで、いじめられている子がどうも好きになれない、ということも、残念ながらままあるのです。

しかし、担任の先生が何人も入れ替わり立ち替わりすれば、いじめに気づく可能性は高まるだろうし、いじめられている子にとっても、「この先生になら相談できる」という先生に出会える可能性は高まるでしょう。

「学び合い」を通した相互承認

第三章で取り上げた「協同的な学び」も、「人間関係の流動性」の重要な仕掛けになり得ます。より正確にいうならば、流動的なグループによって遂行される、「協同的な学び」の方法が、です。

「学び合い」が、より質の高い学びを保障する可能性が高いということについては、第三章で詳論しました。しかし「学び合い」には、もう一つのある意味ではより重要な意義があります。

それがまさに、「相互承認の感度」を育むという意義です。

佐藤学氏は、「協同的な学び」の意義として、「一人残らず子どもの学ぶ権利を実現し、その学びの質を高めること」と、「民主主義の社会を準備すること」の二つを挙げています（佐藤二〇一二、一七頁）。「協同的な学び」は、教師主導の空間を子どもたちへと開き、子どもたち同士が、あるいは教師や時に地域の人びとなども共に、互いに助け合い教え合い学び合う、そのようなまさに「相互承認」の土台を築くことを目指しているのです。

もっとも、「グループを組む」とか「グループ学習」とか聞くと、「うっ」と身構えてしまう人も多いのではないかと思います。「好きな人とグループ組んで」という教師の言葉がおそろしかったという読者も、きっと大勢いることと思います（実はわたしも、そんな子どもの一人でした）。

この言葉がおそろしいのは、クラス内の人間関係が、その瞬間、無防備に露にされてしまうからです。だれとだれが友達で、友達がほとんどいないのはだれか、といったことが、一瞬にして教師やクラスメイトの目に見えてしまうのです。

仲良しグループも、必ずしも一枚岩であるわけではありません。四人グループを組んでといわれて、仲良し五人グループの中から、だれかが追い出されることもあるでしょう。クラス内でいじめがあった場合、この言葉はなおさら暴力的です。

しかしグループ分けがおそろしいのは、実は多くの場合、それがたまに行われるからなのです。もしも日常的・継続的に、グループを流動的に組むことが奨励されていたなら、その抵抗感はずいぶん下がるだろうと思います。グループが固定してしまうと、その中に入れずに苦しむ生徒が必ず出てしまいますが、日常的・継続的に学び合う機会を豊富につくることができれば、むしろ子どもたちは、自分なりの仕方で多様な人とかかわっていく力を育んでいくものです。

わたしの考えでは、こうした「学び合い」の経験を、幼い頃からできるだけ日常的に積んでいくことが重要です。そうすれば、子どもたちはさまざまな人とのかかわり合い方、そしてかかわりの中で自分の特性を知り活かすということを、徐々に学んでいくことができるだろうからです。

そもそもグループ学習は、いつでも同じメンバーとだけ行われるわけではありません。教科や学習内容によって、学び合うメンバーが変わるのは自然なことです。また、協同的なプロジェクト型学習においては、調べるのが得意な生徒、プレゼンをするのが得意な生徒、グループをまとめるのが得意な生徒など、それぞれがそれぞれの特性に気づき、またそれを活かし合っていく経験を重ねていくことができるものです。その過程で、子どもたちは、人との心地よい関係のつくり方や、どうしても合わない人を〝うまくやりすごす〟知恵などを、徐々に身につけていくことができるのです。

ちなみに、先に何度か引用した内藤朝雄氏は、「協同的な学び」（正確には「学びの共同体」）が、子どもたちを一日中強制的に「ベタベタ」させる学校共同体主義であるとして批判的ですが、以上述べてきたような流動性を担保した学び合いのあり方は、むしろ、氏が主張する「生活圏の規模と流動（可能）性を拡大する」（内藤二〇〇九、二一〇頁）ことに、十分沿った実践といえるのではないかと思います。

第Ⅰ部では、学びの「個別化・協同化・プロジェクト化」の融合について述べましたが、そもそもこの学びのあり方自体、必ずしも学年学級制を母体とする必要のないものです。学びの個別化に加えて、時にクラスや学年を越えて、多様な人たちと、協同的に、あるいはプロジェクトに取り組みながら学び合っていく。そうした人間関係の流動性を担保した学校空間のあり方が、今後ますます求められてくるのではないかと思います。

学校建築の工夫

以上論じてきたような、学びの「個別化・協同化・プロジェクト化」を中心にした学びのあり方、そして、人間関係の流動性を担保した学校のあり方を可能にするためには、学校という建築物それ自体のあり方もまた、これまで以上に重視される必要があります。

廊下と教室の間の壁をなくしたいわゆる「オープンスクール」は、今では日本でも珍しいものではなくなりました。それはまさに、子どもたちを教室内に〝囲い込む〟のではなく、一人で学びたい時は静かなスペースで、「協同的な学び」や何らかのプロジェクトに取り組む時は作業台のある広いスペースで、といった具合に、学びの「個別化・協同化・プロジェクト化」を、より充実したものにしていくためにつくられた学校です。

当初は、保護者などから「周りがうるさくて勉強に集中できなくなるのではないか」といった声が盛んに聞かれたこのオープンスクールですが、こうした発想は、教室とは子どもたちが一斉に先生の授業を〝聴く〟場所だという固定観念に、わたしたちがどれだけ縛られているかを物語るものだといえるでしょう。

第四章で見たように、デューイは、先生の話を〝聴く〟教室ではなく、子どもたちがさまざまな協同的な作業・活動に打ち込める学習空間をつくるべきだと訴えました。オープンスクールは、こうした新教育の思想を実現するためにつくられた、新しい学校建築のあり方なのです。

当初はその目新しさのために、オープンスペースをどう活用すればいいか、教師も生徒も分からないという問題がしばしば見られました。しかし今では、たとえば大きなテーブルや座り机、可動式の椅子やソファといった、さまざまなタイプの〝家具〟を置くことを通して、子どもたちの個別的、協同的、そしてプロジェクト型の学びを誘発する仕掛けがつくられています。建築家の工藤《くどう》和美《かずみ》氏がいうように、「授業内容にあわせてさまざまな場所を先生がアレンジすることが、これからの教育現場には求められてくる」（工藤二〇〇四、一〇五頁）といえるでしょう。

子どもたちだけでなく、学校における教師の〝居場所〟についても、工藤氏は次のようにいっています。

> オープンなワークスペースをもつようになって、子どもたちの学習の場所は画期的に豊かになった。ところが、先生が教卓の前に立つ風景が一向に変わらなくては、本当

の意味で豊かな学習スペースが生まれたとはいえない。教卓そのものも可動になって先生の居場所もオープンになるべきである（前掲書、一〇八頁）。

実際、工藤氏の設計した学校には、他の空間から隔絶された職員室もなく、「教職員ワークスペース」や「教職員ラウンジ」といった、教師のオープンな仕事場が設けられています。教師が固定された空間にずっと閉じこもるのではないこうしたアイデアも、ある意味では「人間関係の流動性」を担保する一つの仕掛けといえるでしょう。

先述したように、こうしたオープンスクールは、デューイら新教育の思想家たちの影響のもとにつくられたものでした。第二章でも挙げた、イリノイ州ウィネトカで実践された「ウィネトカ・プラン」においては、一九四〇年、「建築史上はじめて、教師の意見を聞いてつくられた校舎」と評されるクロウ・アイランド・スクールが建築されました（宮本二〇一二）。以来、こうした新しいタイプの学校建築のあり方は、少しずつ進化を遂げていきます。学びの「個別化・協同化・プロジェクト化」、そしてまた、人間関係の流動性を可能にする学校づくりのためには、それにふさわしい学校建築もまた、同時に考えていかなければならない重要な課題なのです。

第七章　教師の資質

本章では、これまで述べてきたことを踏まえて、これから求められる教師の役割、資質、そして専門性について論じていきたいと思います。

ただその前に強調しておかなければならないのは、第三章でも述べた通り、「これからの教師にはこのような資質が絶対に必要である！」などと強固に主張するのは、非現実的であるばかりでなく、ある意味においては不健全でさえあるということです。広い視野から見れば、学校には多様なタイプの先生がいていいし、むしろそうあるべきだからです。

いろんなタイプの教師と出会えれば、それだけ、子どもたちにとっては自分を理解し承認しようとしてくれる教師に出会える可能性が高まります。だから学校には、できるだけ多様なタイプの教師がいたほうがいい。子どもたちは、あの先生好きだとか、あの先生嫌いだとか、あの先生すごい、面白い、怖い、暗い、かっこいい、変人、だとか、そうやっていろんなタイプの大人と出会って成長していくのです。

そもそも、どんなに〝素晴らしい〟教師といわれる人でも、「あの先生苦手だ」と思っている生徒は必ずいます。逆に、だれからも嫌われていると思われている教師でも、一定の生徒たちからは好かれているものです。

もちろん、生徒を心身共にひどく傷つけるような教師は論外です。しかし、それが多少〝ひどい〟教師であったとしても、子どもたちは、多様な教師に触れることで、社会の多様性を学び、そしてまた、多様な人たちの間における「相互承認の感度」を育んでいくものなのです。

それゆえわたしたちは、すべての教師に完璧を求めるのではなく、むしろ、多様な教師が互いに足りないところを補い合い、また得意なところを活かし合える、そのような学校を目指していく必要があります。第三章でも述べたように、みんながみんな、絶大な尊敬に値する先生であったり、学び合いの天才的なファシリテーターであったりする必要はありません。重要なのは、多様な教師の力の「協同」なのです。

教師の専門性

そのことを踏まえた上で、これからの教師に求められるであろう役割、資質、専門性について、以下述べていくことにしたいと思います。特に、今後どのような教員養成プログラムを実行していけばよいのかを考える上で、これは重要なテーマです。また、教師自身の成長の指針を明確にするという意味でも、やはり重要なテーマというべきでしょう。

よく、教師なんてだれでもできるという声を聞きます。しかし、だれもが簡単に「教育」の専門家たりうるかといえば、実のところそれはかなり難しいことです。

だれでも、一度や二度子どもたちに何かを〝教える〟ことくらいできます。しかし、子どもたちの成長を長い目で見て、「何が実りある学びの経験になるか」をしっかり見極め、その経験を継続的にサポートしガイドしていくことは、やはりきわめて専門的な仕事だというべきです。

教師の専門性、それは、各教科の知識体系に精通しているだけでなく、子どもたちがその体系を十分に自らのものとできるよう、そしてその過程で自ら「学ぶ力」を育めるよう、さらには「相互承認の感度」を育めるよう、子どもたち自身の学習経験を継続的に支え導ける力量にもあるのです。

そのためにこそ、これからの教師には、本書で論じてきた学びの「個別化・協同化・プロジェクト化」の融合を、上手にデザインしていく力量が求められるでしょう。子どもたち一人ひとりの個別学習の計画を共に立てサポートし、同時に協同学習とプロジェクト型学習を計画しファシリテートする、そうした力量がますます求められるようになるでしょう。

省察的実践家

教師の専門性といえば、近年必ず言及されるのが、プロフェッショナル研究の第一人者、ドナルド・A・ショーン氏の「省察的実践家」という考えです。

第一章でも述べたように、今日《こんにち》プロフェッショナルとは、専門領域の確固たる固定的な知識・技能に通じている者だけを指すわけにはいかなくなりました。医学も法律も、あるいはその他およそほとんどの専門知は、急激な社会の変化とともに、ものすごいスピードで進展・変貌しているからです。

また、専門家は今日、専門分化した個別領域にとどまっているだけではもはや十分ではなく、より広い社会的文脈の中に自らを位置づけ直さねばならなくなっています。つまりプロフェッショナルは、今や限られた領域内の専門知識・技能にのみ精通している人のことを意味するわけではなくなっているのです。

では今日、プロフェッショナルとはいったい何を意味しているのでしょうか？

ショーン氏は、「省察的実践」あるいは「行為の中の省察」という概念を提起しています。それは、確固たる固定的な知識・技能を十分修得しながらも、そこにとどまるのではなく、さまざまな文脈で、これを改変したり組み合わせたりしながら、その時々の状況に応じて最善の打開策を見出していく実践のことです。ショーン氏はいいます。

行為の中で省察するとき、そのひとは実践の文脈における研究者となる。すでに確立している理論や技術のカテゴリーに頼るのではなく、行為の中の省察を通して、独自の事例についての新しい理論を構築するのである（ショーン二〇〇七、七〇頁）。

今日《こんにち》プロフェッショナルとは、こうした「省察的実践家」のことを指す。そうショーン氏は主張するのです。

省察的実践家としての教師

このことを〝教育〟の専門家としての教師に当てはめてみると、次のようにいうことができるでしょう。

まず、担当教科の知識体系に精通していることや、それを授業を通して伝える力、また子どもの成長の過程を見極める力といった、従来求められてきた専門的な知識・技能はやはり必要です。

しかし、このある種、固定的な知識・技能に精通してさえいれば、わたしたちはどんな子どもにも全く同じ仕方で教科内容を習得させることができるかといえば、それはやはり困難です。教師はむしろ、一人ひとりの子どもに応じて、また状況に応じて、これら専門的な知識・技能を柔軟に編み変えていく、そのような「省察的実践家」であることが求められているのです。ショーン氏はいいます。

省察的実践者としての教師は、生徒たちに耳を傾けようと試みる。〔中略〕教師はたとえば、生徒の間違いや困惑のありようについて時間をかけて検討することに関心を集中しようとする。なぜこの生徒は、「36＋36＝312」などと書くのだろうか。生徒がこの問題についてどのように考えているかを理解し始めると、教師はこの生徒のための新しい問いや、生徒が取り組むための新しい活動、そして生徒が足し算を学ぶのを援助する新しい方法を生み出していくに違いない。その場合、授業計画については固定的なものを退け、おおまかな全体的な活動プラン、教師が特定の生徒たちの問題についての、その場その時点での理解に即した調整を可能とするような骨格案に変えなければならない（前掲書、三四九頁）。

ショーン氏のいう「省察的実践」あるいは「行為の中の省察」は、わたしの言葉でいえば、序章で述べた「目的・状況相関的方法選択」に対して自覚的な実践のことといえるかと思います。プロフェッショナルとしての教師とは、単に教科内容に精通しているだけでも、ある固定的な教授法に精通しているだけでも十分ではなく、その時々の目的や状況に応じて、さまざまな方法を柔軟に選択したり組み合わせたり、また自らつくり上げていく、そのような力量を持った教師のことなのです。

そしてここでいう「目的」の最も根本的なものこそが、何度もいうように、「相互承認の感度」を育むことを土台に、すべての子どもたちが〈自由〉になるための〈教養＝力能〉を育むことです。教師はつねに、この「目的」を見定め、これを達成するために、その時々の状況に応じてさまざまな方法をつくり上げていく必要があるのです。

ではこうした「省察的実践家」であるために、教師は何を心がけておくべきでしょうか？

子どもたちの学びを支え導く教師自身が、つねに「学び続ける」こと。これが「省察的実践家」としての教師に求められていることです。担当教科についてはもとより、他の教師のすぐれた実践から、また、自身の授業を公開し同僚教師たちの評価やアドバイスなどから学ぶこと。こうした「学び続ける」姿勢こそ、「省察的実践家」としての教師に求められているものといえるでしょう。

ベテラン教師になればなるほど、自分の教育のやり方に固執してしまうということが得てして起こります。そしてそのことが、時に、時代の変化から教師を置き去りにしてしまいます。「昔は自分の授業は人気だったのに」「自分の〝学級経営〟は間違っていないはずなのに」、そしてついには、「最近の生徒は何かおかしい」といった言葉が、つい口をついて出てきてしまったりもします。

しかし「省察的実践」において重要なことは、何か一つの方法に固執するのではなく、その時々の状況に応じて、何が最善の行為であるかを考え、見出そうとすることです。そしてそれを可能にするために、自身が「学び続ける」教師であることです。そのためにも、また後述するように、今後特に教育行政は、教師が「学び続ける」ことをこれまで以上に支える役割が求められることになるでしょう。

信頼と承認

最後に、教師にとって最も必要だとわたしの考える、「信頼・承認」について論じたいと思います。

子どもたちに対する教師の「信頼・承認」こそが、「相互承認の感度」を育むための最も重要な土台である、そうわたしは考えています。

深く信頼・承認されるという原初的経験は、その後の子どもたちの「自己信頼」「自己承認」の、内に根ざした大きな支えになるものです。そしてこの「自己信頼」「自己承認」を土台に、子どもたちは他者を信頼すること、他者を承認することへと開かれていくのです。

自分を信じられない、認められない子どもは、他者を信じ認めることもまた困難になってしまいやすいものです。心理学者の山竹伸二《やまたけしんじ》氏が指摘しているように、原初的な信頼や承認がきわめて不十分にしか得られていない子どもたちは、残念ながら多くの場合、「自らの存在価値に自信が持てないまま大人になり、絶えず他者の視線に怯え、他者の評価に過剰反応するようになる」（山竹二〇一一、一二〇〜一二二頁）傾向があるのです。

こうした原初的な信頼を、子どもは基本的にはまず親から与えられます。心理学者のジョン・ボウルビィが明らかにしたように、子どもには「心の安全基地」が必要です（ボウルビィ一九九三）。絶大な信頼関係・承認関係が、子どもたちの自己肯定感を支え、見知らぬ世界へ飛び出る勇気を与え、そしてまた、他者を信頼し承認する文字通りベース（基地）となるのです。

しかし残念ながら、子どもたちのだれもが良好な親子関係に恵まれて育つわけではありません。親を失った子どももいれば、虐待を受けた子どももいます。「心の安全基地」を、十分に得られないまま幼少期を過ごし大人になっていく子どもたちが大勢いるのです。

それゆえに、教育こそが、たとえどんな親の元に生まれたにせよ、子どもたちにとっての原初的な「信頼・承認」の砦《とりで》であってほしい。わたしはそう考えています。

教師の子どもたちに対する絶大な「信頼・承認」は、そのための最も重要な条件です。「お前は信用できない」「どうせまた嘘をつくんだろう」「お前にできるわけがない」「どうせまた喧嘩《けんか》するんだろう」……。こんなセリフを、教師はついいってしまうことがあります。しかし、信頼されなければされないほど、子どもたちは反抗心を強め、大人への信頼を失っていくものです。そして何より、自分への信頼を失っていく……。

しかし不思議なことに、親や教師に信頼されたなら、子どもたちは多くの場合、その信頼を裏切りたくないと思うものなのです。その信頼に、応えたい、応えうる人間になりたいと、自らを成長させていくものなのです。子どもたち、特に幼い子どもたちにまず必要なもの、それは何をおいても、まずは「信頼・承認」の空間なのです。

「ケア」と忍耐

アメリカの教育哲学者、ネル・ノディングズもまた、このような観点から、教育における「ケア」の重要性を訴えています。

「ケア」とは、「具体的な状況の中で、個々のひとに対して、特別な敬意を払って行為すること〔中略〕、ケアされるひとの幸福を保護し、増進するためにそうする」（ノディングズ一九九七、三九頁）行為のことといわれます。ノディングズは、学校文化の基底にはこうした「ケア」が据えられるべきだと主張します。

子どもたちの中には、どうしても学校文化になじめない子どももいます。成績が伸びず、学校にいづらい思いをしている子どもたちもいます。それゆえノディングズは、学校を、特定の能力を持った子どもたちだけでなく、すべての子どもたちの学力と自己肯定感を育める「ケア」の空間にするべきだと論じるのです。

ちなみに、子どもたちが学校文化になじめなかったり成績が思うように伸びなかったりする一つの大きな要因として、社会学者たちは、前にも少し述べましたが階層格差の問題を論難してきました。たとえばピエール・ブルデューは、学校は実は「支配階層の文化」を教育しており、したがって、支配階層の子どもたちにそもそも有利なようにできているといいました（ブルデュー&パスロン一九九一）。同じく社会学者のバジル・バーンスティンは、このブルデューの理論を一部批判しつつも、その「言語コード論」において、比較的恵まれない階層の子どもたちの使う「言語コード」、すなわち言葉の使い方一般が、学校文化における言語コードと異なっているために、そうした子どもたちが学校で〝失敗〟しやすいのだということを実証しています（バーンスティン二〇〇〇）。両者共に、社会階層下位の子どもたちが、そもそもにおいて学校では〝成功〟しにくい傾向があることを明らかにしたのです。

ノディングズの「ケア」論は、おそらくこの問題も視野に入れて提唱されたものだと思います。学校での〝成功〟が階層格差に左右されないためにも、すべての子どもたちの学力と自己肯定感を育み支える「ケア」を、学校文化の基底に据えるべきだと彼女は主張するのです。

もちろん、子どもたちは年を重ねるごとに、全面的な信頼や承認やケアの世界から、競争や評価にさらされる世界へとやがて出て行かなければなりません。しかし、まさに競争や評価にさらされる世界へと投げ入れられていくからこそ、教育はそのような子どもたちを支える「信頼・承認」「ケア」の現場である必要があるのです。

子どもを「依存」状態から脱却させ、早く自立させなければならないとして、早い時期から厳しい競争にさらす必要性を論じる人もいます。しかしボウルビィは、多くの実例とともにその弊害を繰り返し強調しています。子どもの頃に「心の安全基地」をほとんど得られなかった子どもが、社会に出た時や親になった時、あるいはもちろん子ども時代においても、多くの場合きわめて不安定な精神状態に苦しまなければならないということについては、今では多くの人が知るところでしょう。ボウルビィはいいます。

依存性という言葉は、いつも負の価値を伴い、生まれて数年の間の特徴で、すぐにそれから成長して抜け出さなければいけないものと見られる傾向がある。〔中略〕それはぞっとするような誤った判断だと私は思う（ボウルビィ一九九三、一五頁）。

子どもは、早い時期にそこから抜け出さなければならない「依存」存在なのではなく、むしろ長らく「安全基地」を必要としている存在なのだ。そうボウルビィはいうのです。だとするなら、親だけでなく教師もまた、子どもたちの「安全基地」であるよう努める必要がある。そして長い目で、その成長を支え導いていく必要がある。わたしはそう思います。

しかしその一方で、親や教師の子どもたちに対する信頼は、きわめて多くの場合、裏切られるものです。やっぱり宿題をやってこない、また嘘をつく、なかなか勉強が進まない……。どれだけ信頼しても、教師は子どもたちから裏切られるものです。

しかしそれは、正確にいうと子どもたちに裏切られたわけではありません。子どもたちに対する自分の期待が、裏切られたにすぎないのです。それはいわば、こちらが勝手に子どもたちに押しつけた〝期待〟です。

教師が信頼すべきは、子どもたちの成長です。今の自分の期待が裏切られるのは、いわば当たり前のことです。子どもたちはつねに成長の途上にあるのだから、親や教師の期待に、いつでも応えられるわけがないのです。だから教師は、その成長を、忍耐強く信頼し続ける必要があるのです。

権威と畏敬

ついでながら、こうした子どもたちに〝寄り添う〟教師は、たしかに「よい」教師といえるだろうとは思いますが、その一方で、ある種の「権威」を持って〝教え導く〟ことのできる教師もまた、教育にはある程度必要だということもあえていっておきたいと思います。

ルドルフ・シュタイナーというユニークな（教育）思想家は、特に七歳から一四歳くらいまでの子どもには、尊敬し畏敬できる大人を求める傾向があるということを強調しています。したがってこの時期に、「限りない尊敬をもって見上げることのできるような人物」（シュタイナー二〇〇三、四五頁）と出会うことが重要だと主張します。

たしかに子どもたちは、この人に認められたい、この人のようになりたい、と思えるような大人に出会うことで、自らを大きく成長させていくものです。それゆえ、忍耐強い信頼に加えて、こうした一種の〝畏敬の念〟を抱かせられるような教師もまた、子どもたちの成長のある時期においては、必要な存在といえるだろうと思います。

もちろん、すべての教師がそのような教師である必要はないし、〝畏敬の念〟の対象となる大人が、必ずしも教師である必要もないかもしれません。しかし教育において、そうした教師と生徒との出会いの機会を、ある程度つくることができるならそれに越したことはない、わたしはそう思います。

教師への信頼

さて、以上述べてきた「忍耐強い信頼」は、教師だけが意識しなければならないものではありません。わたしの考えでは、教師自身もまた、保護者や教育委員会、あるいは社会一般から、十分に信頼される必要があるのです。

二〇世紀ドイツの教育哲学者、オットー・F・ボルノーは次のようにいっています。

忍耐強く子どもたちを信頼し続けた教師は、しかし何度も子どもたちの失敗に行き当たることになる。その時周囲の人びとは、それを教師の力量不足だとすぐに決めつける。しかしそれは、多くの場合間違っているのだ、と（ボルノー一九八七）。

わたしたちは、教師の教育の〝成否〟を、その瞬間瞬間の授業の出来、教師と生徒との関係、教室の雰囲気などから判断してしまいがちです。そうすると、教師もまた、短期的な成果を求めたり、いついかなる時も統率のとれたクラスであることを目指したりしてしまいやすいものです。

しかし教育の〝成功〟は、ペーパーテストの成績を短い期間で上げることにのみあるのでしょうか？　統率のとれた学級をつくることにあるのでしょうか？

教育の使命は、むしろ子どもたちのさまざまな〝失敗〟を容認し、やり直しの機会をサポートし、そのことによって、より〈自由〉に、つまり生きたいように生きられるための力能を、長い時間をかけて育むことにあるはずです。

月並みですが、わたしたちは〝失敗〟から学ぶのです。教育はこの〝失敗〟を、思う存分に経験できる現場であるべきです。〝失敗〟から学ぶことを、奨励しまた支えることのできる場であるべきです。そして先述したように、そのような忍耐を持って子どもたちの成長を信頼できる教師を支え育てるためにこそ、「忍耐強い信頼」は、保護者や地域の人たち、そしてまた教育行政に携わる人たちなど、周囲の人たちにとっても重要な資質であるはずなのです。

あの先生のクラスでまた万引きが起こったとか、あの先生のクラスはなかなか学力が上がらないとか、事あるごとに目くじらを立て、教師をあまり追い込んでしまいすぎない方がいい。わたしはそう思います。そもそも、クラスの問題の責任を教師一人だけに帰するのはひどく乱暴な話です。子どもたちの人間関係や家庭環境など、そこにはさまざまな背景があるからです。

もちろん、教師（の力量）にあまりに問題が多い場合には、何らかの対処が必要でしょう。しかし長いスパンで子どもたちの成長と向き合う以上、教師もまた、基本的には長い目でその実践を見守り支えられる必要があるのです。

そのためにこそ、教育行政は、各学校・教師の管理監督に加えて、「支援」もまたその一つの重要な役割と明確に位置づける必要があります（山口二〇一一参照）。ひたすら管理監督され、短期的な成果ばかり要求されていたら、教師が子どもたちを忍耐強く信頼し、長い目でその成長を支え導くことなどできなくなってしまうでしょう。

教師を信用・信頼しすぎだといわれるかもしれません。たしかにそうかもしれません。しかし先述したように、わたしたちは、信頼されなければ当然その信頼に応えようとも思わないものなのです。厳しく管埋されて取り締まられれば、それに反抗したくさえなるものです。

他方、一定の信頼が与えられれば、わたしたちは、その信頼に応えたい、応えうるよう自分を成長させたいと、多くの場合思うものです。それは子どもだけでなく、大人であっても同じことです。一定の管理・監督は必要ですが、それと同時に、教師に対する深い信頼もまた必要であるはずなのです。

今、教育現場にはあからさまな競争主義・成果主義が導入されつつあると指摘されています（もちろん地域や学校によって実情は異なりますが）。「競争主義」とは、「教育の場に市場原理を導入し、個人間や学校間の競争を喚起することを通じてシステムのパフォーマンス（機能）をあげよう」とするやり方、「成果主義」とは、「数値目標の到達度に応じた資源の再配分を通じて現場を統制しよう」というやり方だといわれます（志水二〇一二、一一頁）。「日本の教師は、間違いなく、これまで以上に強く、目に見える成果の効率的な追求を求められるようになっている。学力テスト、学校評価、教職員評価などの政策によって、成果主義が教育の現場に浸透するようになったからである」（佐藤・勝野二〇一三、五八頁）と指摘されています。

多様な教師の「協同」ではなく「競争」を煽り、その成果を数値で管理する。このやり方は、これまで述べてきたような、長い目で子どもたちの成長を信頼し支え導く教師の資質を、切り崩してしまう危険性があります。

もちろん、教師も長期的・短期的、双方の観点から何らかの形で評価を受ける必要があるのは当然のことです。しかし、きわめてあからさまかつ短期的な競争主義・成果主義・管理主義は、多くの場合、教師の関心を、子どもたちにではなく、〝上〟からの自分に対する評価へと向かわせてしまうことになるでしょう。

教育は〈自由の相互承認〉の土台です。そのために、学校は「相互信頼」の空間となる必要がある。だとするなら、教師を取り巻く環境は、短期的な〝成果〟ばかりを要求し、ちょっとした〝失敗〟をすぐに責め厳しく統制するようなものではなく、できるだけ皆が忍耐強く信頼し合い、そして助け合える、そのような環境であった方がいい。わたしはそう思います。

第Ⅲ部　「よい」社会をつくる

第八章　教育からつくる社会

本章では、これからの教育は、より「よい」社会の構想にどのように資することができるのか、これまで述べてきたことを踏まえて考えていきたいと思います。紙幅の都合上、ここではその〝第一歩目〟しか論じることはできません。しかしここを土台に、教育を通したより「よい」社会の構想を、わたしたちは今後、より具体的に考えていくことができるようになるはずです。

序章でも述べたように、教育は子どもの側から見れば、自らの〈自由〉を実質化してくれる――そのようにつくられるべき――ものです。他方、社会の側から見れば、それは〈自由の相互承認〉の原理の土台になる――そのようにつくられるべき――ものです。本書ではこれまで、どちらかといえば、一人ひとりの子どもたちにとって「よい」教育・学校をどのように構想・実践していくことができるかを考えてきました。そこで本第Ⅲ部では、社会における〈自由の相互承認〉の土台として、教育にはこれからいったい何ができるのか、考えていくことにしたいと思います。

教育にできること

「はじめに」でも述べたように、社会的な問題を、人はしばしば教育のせいにして語ります。そして、教育をよくすれば社会もよくなるのだと考えます。

若者のモラルが低下したのは教育のせいだ、経済の停滞は覇気のない若者を生んでいる教育のせいだ、若者の凶悪犯罪が後を絶たないのは教育のせいだ、というわけです（いずれも根拠のない印象批判にすぎませんが）。

こうした、社会的な問題の何もかもを教育のせいにして、教育さえよくなればすべての問題が解決するのだといわんばかりの議論については、これまで多くの教育学・社会学者が、その〝幻想〟を解体すべく、「教育には何ができないか」を論じてきました（広田二〇〇三、菅野二〇一〇など参照）。教育は万能ではありません。教育もまた、相互に作用し合う社会機能の、ごく一部を担ったシステムであるにすぎないからです。

二〇世紀の哲学者、ハンナ・アレントは、「子供たちに将来の精神を教えこむことによって世界を変えることができるというアイデアは、古代からずっと政治的なユートピアの顕著な特徴の一つだった」（アレント二〇〇七、二五八頁）と述べ、そのようなユートピアに望みを託す大人たちの〝無責任〟を批判しています。自分たち大人が解決すべき問題を子どもたちに託す、そのような〝無責任〟さに対する批判です。

「教育には何ができないか」をしっかり見極めること、そしてまた、教育を変えればすべてがよくなるという〝幻想〟やその〝無責任〟に陥らないこと。教育を考える時、これはきわめて重要な視点です。

しかしその上でわたしは、本書の最後に、あえて「教育には何ができるか」を論じたいと思います。何度も述べてきたように、教育は社会における〈自由の相互承認〉の土台です。そうである以上、この〈自由の相互承認〉のために「教育には何ができるか」を論じることは、今後の教育・社会構想にとっても、十分意義深いことだと思うからです。

ポスト新自由主義

まず、比較的マクロな教育構想について考えてみたいと思います。

この数十年、日本では、いわゆる新自由主義的教育改革が行われてきました。

新自由主義とは、一九七〇年代ごろから、アメリカ、イギリス、日本などにおいて急速に力を伸ばした考え方で、いわゆる「小さな政府」を標榜するとされています。政府の介入をできるだけ抑え、市場原理と競争を活用することで経済を効率化・活性化しようとする考えです。具体的には、国営企業を廃し、医療、教育、福祉などの公共サービスを市場にゆだねる、また、規制緩和を推進し競争を促進するなどの政策をとります。そこには、財政難にあえぐ中央政府によるコスト削減のねらいもあるとされています。

この新自由主義の考えに基づいて、日本でも一九八〇年代半ばごろから、教育改革がさかんに行われるようになりました。教育の「多様化」「弾力化」を基本発想として、「選択と自己責任」「自由競争」などを重視する改革です。九〇年代、二〇〇〇年代になって、この改革はさらに加速し、学校選択制の導入や、株式会社立学校の設置認可などが行われることになりました。

それはある意味では、自由競争の名の下に、子どもたちの幼い時期からの序列化を進めてしまうような教育改革でした。実際、教育改革推進派の多くには、競争を通じて、弱者を切り捨ててでも一部のエリートを伸ばし、そのエリートに国を引っ張っていってもらえればよいという発想があったといわれています（斎藤二〇〇四）。

しかしこれは、それまで日本が守り通してきた「教育の平等」を、大きく揺るがしかねない改革でもありました。そこで、特に格差の拡大とともに社会的な不満が広がることを予測した新自由主義改革派は、教育において、愛国心や伝統の尊重、道徳意識の涵養といったものを重視し、競争に勝てなかった人びとの不満を前もって抑えておこうという戦略に出たといわれています（広田二〇〇九、一二七頁）。今日《こんにち》特に「新保守主義」と呼ばれているものです。それはある意味では、教育を通して人びとの価値観をある程度統合しようという考えだといえます。

近年でも、たとえば第一次安倍内閣の二〇〇六年には、「伝統と文化の尊重」や、「我が国と郷土を愛する」といった文言が加えられた、教育基本法の改正が行われました。第二次安倍内閣の二〇一四年現在は、「グローバル人材の輩出」や「道徳教育の強化・教科化」が、特に力を入れて議論されているテーマです。まさに、新自由主義と新保守主義の価値観が、改革の柱とされているのです。

このような新自由主義的・新保守主義的な流れが、教育に限らず今後も続いていくのかどうかは、まだよく分かりません。二〇〇八年のリーマン・ショック以来、剝き出しの競争をよしとする新自由主義路線には行き着く先がないと多くの人が考えているはずですが、自民党から民主党への政権交代も短命に終わり、ふたたび自民党政権によって新自由主義的・新保守主義的改革へと舵《かじ》が切られたのを見ると、少なくとも短期的には、今後もある程度はこの流れが続いていくように思えます。

しかし少なくとも教育に関していえば、地方自治体（基礎自治体）レベルでは、新自由主義的教育改革からの脱却が進みつつある感触をわたしは持っています。

たとえば、小中学校における学校選択制は、学校間格差と序列化を生み、そのことで義務教育段階における子どもたちの教育格差が進みかねないという問題や、地域コミュニティが崩れてしまいかねないといった問題があることから、この制度を廃止したり見直したりする自治体が相次いでいます。多くの地方自治体は今、ある意味において行きすぎたこれまでの「自由競争」路線に待ったをかけ、もう一度バランスを取り直そうとしているように思えます。もちろんその逆路線、つまり新自由主義路線を推進する自治体も少なくはないですが、今後も一定、新自由主義改革見直しの流れは続いていくのではないかと思います。

〈自由の相互承認〉の原理に基づく限り、そしてまた、序章で述べた〈一般福祉〉の原理に基づく限り、教育政策が、ある一部の子ども――とりわけ親の経済力に恵まれた子ども――の〈自由〉の促進にのみ寄与し、それ以外の子どもたちの〈自由〉を著しく侵害するようであれば、それは正当性を持ち得ません。新自由主義的教育改革には、この点で大きな問題があるように思います。

戦争や経済競争などにおいて、国が何らかの〝危機〟を感じ取った時、〈一般福祉〉の原理は多くの場合軽視される傾向にあります。一部の人間を切り捨ててでも、国家の存続や繁栄を勝ち取ろうとするのです。この一般的傾向それ自体は、現実的にいってある程度は避けられないことかもしれません。しかしわたしたちは今こそ改めて、多様な人間同士が共存するための原理は〈自由の相互承認〉のほかにあり得ず、そしてまた、社会政策の正当性の原理は〈一般福祉〉であるということを、しっかり自覚しておくべきです。そしてこの原理に基づいて、ポスト新自由主義の教育構想を進めていくべきです。

「平等と競争」再論

では、そのようなより「よい」社会、つまり〈自由の相互承認〉がより実質化されていく社会のために、教育にはいったい何ができるでしょうか？

制度的には、まず、序章でも述べた「平等」と「競争・多様化」の対立を解き、そのバランスを明らかにすることが重要です。一部の新自由主義者が主張するように、義務教育段階でも競争と多様化を推進するべきか、それとも左派が主張するように、あくまで平等を貫くべきか、この対立を、わたしたちは序章で次のように解消しました。

まず、「平等」と「多様化」の対立については、必要な「平等」を、義務教育における「機会均等」および「〈教養＝力能〉の獲得保障の平等」として定め、他方、必要かつ容認されうる「多様性」を、この平等を達成するための方法と、この平等達成以降——義務教育以降——の教育の一定の多様性として定める必要性を明らかにしました。

「競争」についても同様です。教育の「機会均等」および「〈教養＝力能〉の獲得保障の平等」を保障できる限りにおいて、義務教育段階においても、「競争」はある程度は容認されるといっていいでしょう。

ただし第三章で述べた通り、実のところ「競争」は、子どもたち全員の高い学力保障に資することがあまりない、換言すれば、〈一般福祉〉を促進しにくいことが明らかにされています。

これは学校選択に基づく学校間競争においても同様です。学校選択制の一つの動機は、学校間の競争を引き起こし、そのことで教育の〝質〟を高めようとする点にありますが、実はいったん競争を通した序列化が起こると、その序列が固定化・深刻化してしまうリスクの方が高いのです（嶺井二〇一〇）。その意味では、これもまた、序列〝下位〟の学校にその期間通った子どもたちの、〈一般福祉〉に反する面が強い政策といえるでしょう。それゆえ少なくとも義務教育段階においては、序列化とその固定化を招きかねない「競争」は抑制されるべきです。

この世は競争社会、だから子どものうちから過酷な競争の経験をさせておくべきだ、という考えもあるかもしれません。しかし第七章で論じたように、たとえこの世が競争社会であったとしても、否、だとすればなおのこと、とりわけ義務教育は、過酷な競争社会であるよりも、「心の安全基地」(ボウルビィ一九九三)であるべきです。信頼と承認の砦に守られる経験こそが、過酷な競争社会にチャレンジしていける、「自己信頼」「自己承認」の感度を育むからです。

そもそもわたしは、この世は競争社会であると、過度に一般化することはできないのではないかと考えています。もちろんそのような部分も少なからずあるでしょう。しかし、わたしたちの社会のゲームはすでに十分多様です。ある競争に敗れても、また別のゲームにチャレンジすることは可能だし、そしてそれは、必ずしも〝競争〟ゲームばかりというわけでもありません。

競争や出世にはあまり関係のない、たとえばだれかを支えたり育んだりする仕事に喜びを感じる人もいるでしょう。仕事はそこそこに、趣味に生きることを楽しむ人もいるでしょう。たとえ、受験や就職、あるいは出世などの過酷な競争ゲームのただ中にあったとしても、そしてそれにある時、敗れてしまったとしても、わたしたちの人生の選択肢はそれだけではないし、〝それで終わり〟というわけでもありません。視点を変えれば、現代社会にはさまざまな生き方の世界が広がっているのです。より正確にいえば、わたしたちはそのような社会をこそ、これからさらに構想していく必要があるのです。

教育は、そのための一つの大きな制度的土台です。

わたしたちは、ただひたすら何らかの競争ゲームに勝ち残ることを教え、そこに焦点を合わせた教育に特化するよりも、自分なりの生き方を見出し営むための、そしてまた、人生のさまざまな転機において〝再チャレンジ〟するための〝力〟をこそ、子どもたちに育むべきです。また、〝競争〟よりはやはり〝協同〟する力をこそ育むべきです。複雑化した現代社会においては、単純な競争ゲームより、さまざまな場面において助け合い支え合う機会の方が、おそらくははるかに多いだろうからです。

以上、より「よい」社会づくりのために教育にできることとして、その制度的土台について改めて次のように明確化しておきたいと思います。すなわち、教育の「機会均等」と

「〈教養＝力能〉の獲得保障の平等」という、二つの〝平等〟は必ず保障すること。そしてその上で――過酷な競争に勝ち抜くための教育というよりは――「相互承認の感度」を育むことを土台に、すべての子どもたちが〈自由〉になれるための〈教養＝力能〉を育むこと、と。そのための具体的な教育のあり方については、これまで縷々論じてきた通りです。

開かれた関係性と道徳教育

「相互承認の感度」を育むという観点から、「道徳教育」についてもひと言いっておきたいと思います。

今、道徳教育の強化、そして教科化が叫ばれています。二〇一四年現在、道徳は「教科」ではなく「領域」として位置づけられていますが、二〇一五年度より「教科」へと〝格上げ〟することが検討されています。

わたし自身は、このことにはどちらかといえば反対の立場です。これは別の本にも書いたことですが、道徳教育には、「道徳教育のジレンマ」ともいうべき問題があるからです（苫野二〇一三）。道徳教育をすればするほど、子どもたちにある〝うさんくささ〟を感じさせてしまうというジレンマです。

この〝うさんくささ〟には二種類あります。一つは、道徳を語る教師自身が、「そんなことをいう資格があるの？」と子どもたちに思わせてしまうことがあるという点、もう一つは、道徳の内容それ自体が、「どうせ綺麗事《きれいごと》でしょ」と思わせてしまうことがある点です。

もちろん、道徳教育は何もかもがそんなに〝うさんくさい〟わけではありません。しかし現実問題として、道徳教育は皮肉なことに、子どもたちにかえって「道徳」というものへの違和感や嫌悪感を生んでしまうことが多いのです。「教科化」に伴って、検定教科書や、また（数値評価ではありませんが）何らかの評価制度も導入するといわれていますから、この〝うさんくささ〟はますます深刻化してしまうのではないかと危惧しています。

しかし、もしこのことが避けられない規定路線だとするならば、せっかくなら実りある道徳教育を構想していきたい、わたしはそう考えています。そしてその方向性は、「相互承認の感度」を生活経験を通して子どもたちが自ら育む、そのような学校空間の構築をおいてほかにない、と。

第Ⅱ部では、「人間関係の流動性」と、学校を「信頼・承認」の空間にするという二つのキーワードを挙げました。閉鎖的な学級に子どもたちを〝囲い込む〟のではなく、多様な年齢の子どもたちや地域の人たちに人間関係を〝開く〟こと。そしてその上で、相互信頼と相互承認を軸とした学校をつくること。そのことこそが、「相互承認の感度」を育むための土台であるといいました。

　道徳教育の本質もまた、この点にこそあります。『心のノート』を読んだり、〝偉人〟の生涯を講じたりするのも時には結構なことかもしれません。しかし道徳教育の本質は、「相互承認の感度」を子どもたちが自ら育んでいく、そのような生活経験の場をつくることにこそあるのです。

　序章でも述べたように、保育園や幼稚園の子どもたちでさえ、この「相互承認の感度」を経験を通して自ら学んでいます。最初は、「おもちゃ貸ーしーてー」「だーめーよ」と、互いに押しのけ合っていた子どもたちも、やがて、お互いが気持ちよく生活できるためにこそ、まずはお互いを認め合い、その上で調整し合うようになるのです。

　先進的な学校の創設者でもあった、一九世紀ロシアの文豪トルストイがこんなことをいっています。子どもたちがケンカをした時、親や教師はすぐに、「何でそんなことをしたのか！」「謝りなさい！」などといって、頭ごなしに怒ったり二人を引き離そうとしたりする。しかしそれは、多くの場合、逆効果なのだ、と（トルストイ一九五八、五一～五四頁）。思う存分ケンカをさせてもらえなかった子どもたちは、心にわだかまりを抱え、かえってお互いに恨みを募らせてしまうものです。しかしもし存分にケンカをしたなら、子どもたちは、「もうこれ以上はまずいかな」と、お互いにどこかで折り合いをつけようとし始める。そして彼らを周囲で見ている子どもたちも、何とかして関係を修復させようと努力し始める。長年の教育経験をもとに、トルストイはそう洞察しています。

もちろん、時と場合によっては、親や教師がしっかりと介入しなければならないこともあるでしょう。しかしここでトルストイがいいたいのは、子どもたちは、お互いを認め合い調整し合おうとする〝力〟を、そもそも持っているのだということです。だから、大人の余計な介入や頭ごなしのお説教は、そうした〝力〟を育む機会を、しばしばかえって奪ってしまうことになるのです。

道徳教育の強化あるいは教科化という時、このことを忘れてはならないとわたしは思います。現行の学習指導要領でも、「道徳」は学校の教育活動全体を通して育まれるべきものと明記されていますが、道徳教育の本質は、やはり子どもたちが自ら「相互承認の感度」を育んでいく、そのような生活経験の場をつくることにこそあるのです。

共通了解をつくる

話が制度的な話から実践的な話へと移ってきましたので、最後に一つ具体的な提言をして本章を締めくくりたいと思います。

「相互承認の感度」を育むためには、価値観や感受性の異なる者同士の間に、何らかの「共通了解」を見出す経験を積む必要があります。多様で異質な人たちが、それでもなお、なんらかの形で了解し合う、あるいは納得し合おうとすることは、〈自由の相互承認〉を支える重要な態度だからです。

もっとも、わたしたちはいついかなる時も、お互いを理解し合ったり納得し合ったりする必要があるというわけではありません。「相互承認の感度」とは、先述したように、価値観や感受性の異なる相手でも、最低限その存在は認めようとする感性・態度のことです。ですからそうしたレベルの承認を超えて、いついかなる時も共感したり理解したりしなければならないというわけでは必ずしもありません。

しかしわたしたちには、お互いが納得のいく考えを見出していかなければならない時がしばしばあるものです。何かを協力して決めていく時、あるいはひどい争いを避けるために、何らかの「共通了解」を見出す必要があるのです。

しかし今の学校教育には、そうした「共通了解」を得るための〝考え方〟〝議論の仕方〟を学ぶ機会がほとんどありません。議論といえば、勝ち負けを決めるようなディベートか、さもなければ、さんざん議論を行った挙げ句、「答えは出ないけど、いろいろ話し合えてよかったね」で済ませてしまうような、あまり建設的とはいえないようなものが大半であるように思います。

そこでわたしは、「超ディベート」あるいは「共通了解志向型ディベート」という、「共通了解」を得るための議論の方法を提唱しています。これもかつて別の本に書いたことがあるのですが（苫野二〇一三）、繰り返し訴えたいことですので、前著の内容をさらに展開させて、本章の最後にお話ししておきたいと思います。

今ではほとんどの中学や高校でディベートの実践が行われていますが、わたしはこのディベートのあり方を、もっと「よい」ものに改変していくべきではないかと考えています。

ディベートは、議論を感情的にではなく論理的に展開する力がつく、とか、相手の考えも理解する必要があるので、物事を多角的に見られるようになる、とか、いろいろ利点がいわれています。たしかにその通りだと思いますが、しかし同時にわたしは、ディベートの思考スタイルは、ある大きな問題も抱えていると考えています。

ある論点について、肯定側と否定側に分かれて議論をし、そのどちらが説得的であったかの決着をつけるこの（競技）ディベートの形式は、「はじめに」で述べた「問い方のマジック」にかかりやすい思考のくせを、子どもたちに身につけさせてしまう可能性があるのです。

「いじめをした生徒は即刻停学処分にするべきか、否か？」とか、「一〇人乗りの救命ボートに一一人が乗り込んだ。一〇人を救うために一人を犠牲にすることは正義に適うか、否か？」とかいった二者択一的な問いが、この「問い方のマジック」に当たります。

しかしこうした問いに、絶対に正しい答えなどあるわけがありません。にもかかわらず、「あちらとこちら、どちらが正しいか？」と問われると、わたしたちは思わず、「どちらかが正しいのではないか」と思ってしまう傾向があるのです。「あちらとこちら、どちらが論理的に説得的か」を問うディベートもまた、それゆえ、この〝マジック〟にひっかかりやすい思考モードを、子どもたちに育んでしまう可能性があるのです。

しかしわたしたちは、むしろ次のような議論の仕方をこそ育んでいくべきです。

「肯定側と否定側、どちらが説得的か」ではなく、どちらの意見も考え合わせた上で、どうすれば双方が納得できる第三のアイデアを考え合うことができるだろうか、と。

「あちらもこちらも納得できる、より建設的なアイデアを考えよう」。……お気づきの方も多いとは思いますが、これはまさに、本書でわたしが心がけてきた議論の展開の仕方です。そして教育現場におけるディベートの実践もまた、今後、この「共通了解」を目指す第三のステップを組み込んだものにしていく必要がある、そうわたしは考えています。

超ディベートの方法

ではこの「超ディベート」、具体的にはどのように行われるものなのでしょうか？

まず十分理解しておくべきは、わたしたちのどのような思想・考えにも、絶対に正しいものなどはないということです。たとえば繰り返し述べてきたように、絶対に正しい教育や社会のあり方などはありません。

しかしだからといって、わたしたちは、「正しいものなんて何もない」と過度の相対主義に陥る必要もありません。「絶対に正しい考えなんてない」などというのは、きわめて簡単かつ安易なことです。そんなことは、哲学的にはいわばすでに織り込み済みのことです。

〝絶対〟なんてないということを前提にした上で、なおいかに「共通了解」を見出し合っていけるかと考えること、これが力強い思考のあり方です。絶対に正しいことではなく、共通了解可能性を見出そうと考えるのです。

そしてそれは十分に可能なことです。なぜなら、哲学的・原理的にいって、あらゆる考えは、相対的なのではなく、個々の欲望や関心に応じて〝妥当性〟を持っているものだからです。

わたしはこれを、「欲望・関心相関性の原理」と呼んでいます(苫野二〇一一)。ここでその詳細を論じる余裕はありませんが、わたしたちの思考は、原理的にいって、つねに何らかの欲望・関心から形成されているものであり、その欲望・関心から見れば、どのような考えも必ず一定の妥当性を持っているものなのです。

たとえば、「いじめをした生徒は厳罰処分にすべきだ」という考えは、いうまでもなく絶対に正しいものではありません。しかしその底には、(自覚できるかどうかは別として)たとえばかつていじめにあったことがあり、それゆえいじめをしている生徒たちに復讐したいという「欲望・関心」があるのかもしれません。この「欲望・関心」から、「いじめ厳罰処分」という考えが形成されたのかもしれません。

他方、「いじめをした生徒には反省とやり直しの機会を与えるべきだ」と主張する人の考えの底には、かつて自身がいじめをしていて、しかしある教師との出会いが、自分を更生させるきっかけになったという経験があるのかもしれません。それゆえに、いじめをしている生徒たちには、そうしたやり直しのきっかけを与えたいのだという「欲望・関心」があるのかもしれません。

目を向けるべきは、まずこれらそれぞれの「欲望・関心」の次元です。なぜならわたしたちは、両者のこの「欲望・関心」についてであれば、お互いにある程度はその〝妥当性〟を理解・納得し合えるはずだからです。少なくとも、その可能性は高まるはずです。「厳罰処分にすべきだ！」「いや更生の機会を与えるべきだ！」とただ主張し合うだけではお互いに納得し合うことができなくとも、これらの考えの奥底にある、互いの「欲望・関心」の次元にまでさかのぼれば、互いに了解し合える可能性が高まるのです。

超ディベートの第一歩は、こうしたそれぞれの主張の底にある「欲望・関心」の次元にまでさかのぼり合うことです。そして、互いに納得できる「欲望・関心」を見出し合うことです。先のいじめの例でいえば、「復讐」の欲望・関心も、「やり直しの機会を与える」欲望・関心も、どちらも互いにある程度は理解し合えるものといえるでしょう。

しかしだからといって、互いの欲望・関心を、どちらも全面的に〝承認〟するというわけにはおそらくいきません。「復讐」の欲望・関心は、ある程度〝共感〟はできたとしても、完全に認めてしまうわけにはいかないでしょう。「やり直しの機会を与える」の欲望・関心も同様です。

そこで、互いに共有できる「共通関心」を見出す必要が出てきます。これが第二ステップです。たとえば、復讐のためではなく、厳罰処分に値するいじめは何だろうかと考えよう、とか、いついかなる時もやり直しの機会を与えるというよりは、その方が望ましい時はどういう時かを考えよう、といった認識を、「共通関心」として見出し合うのです。

そしてその上で、この「共通関心」を満たせるような、互いに納得し合える建設的な第三のアイデアを考え合っていく、これが第三ステップです。ふたたびいじめの例でいえば、ひどい暴力系のいじめに対しては厳罰処分が適当ではないか、また一方で、無視やいやがらせといったいわゆるコミュニケーション操作系のいじめに対しては、反省・やり直しの機会を与えることが適当ではないか、といったアイデアを出していくのです。さらに、いじめを受けた生徒に対するケアのあり方や、またいじめをしている生徒も、その底には何らかの苦悩や傷を抱えている場合が多いものですから、そのケアへと視野を広げていくことも重要でしょう。

いずれにしても、以上のような三つのステップを通して、わたしたちは、「いじめをした生徒は厳罰処分にすべきか、否か」といった「問い方のマジック」に陥ることなく、より建設的な第三のアイデアを見出し合っていくことができるようになるのです。少なくとも、その思考の道筋をつけることはできるようになるはずです。

ついでながら、先に、教育は平等であるべきか、それとも競争・多様化を促進するべきか、という対立を解消しました。これもまた、ここでいう超ディベートの手法を応用したものです。

わたしが試みたのは、まず、「平等」派も「競争・多様化」派も、どちらも納得しうる「共通関心」を見出すことでした。先にいった、超ディベートの第二ステップです。そして、「平等」派も「競争・多様化」派も、どちらも、わたしたちが〈自由〉に生きたいと思っていること、そしてそのためには〈自由の相互承認〉を社会の原理とするほかないということまでならば、共通関心として共有できるはずだと考えました。

その上でわたしは、この〈自由〉と〈自由の相互承認〉を実質化するために、どのような平等をどの程度保障する必要があるか、そして、どのような競争・多様化をどの程度容認あるいは促進する必要があるかと、第三のアイデアを考えました。先にいった、超ディベートの第三ステップです。その具体的な内容については、序章および先に詳論した通りです。

ともあれ超ディベートは、繰り返しになりますが以下の手順を通して行われます。

①対立する意見の底にある、それぞれの「欲望・関心」を自覚的にさかのぼり明らかにする。
②互いに納得できる「共通関心」を見出す。
③この「共通関心」を満たしうる、建設的な第三のアイデアを考え合う。

ついでながらいっておくと、これは哲学者のヘーゲルがその思考方法として深めた「弁証法」に、フッサールという二〇世紀ドイツの哲学者が創始した、現象学という哲学の方法を組み合わせた思考・議論の方法です。

ただし、思考の方法化・マニュアル化は、それがどれだけ原理的かつ建設的であろうとも、思考を杓子定規にしてしまう危険性をつねにはらんでいます。それゆえわたし自身は、この超ディベートを、今行われている競技ディベートのようにあまり形式化したくはありません。しかし右に挙げた三つの思考のステップは、「共通了解」を見出し合う建設的な議論のために、今後意識的に教育実践の中に取り入れていく必要があるのではないかと考えています。

そして、このような議論・思考の力を、もしも今後、多くの子どもたちに十分に育んでいくことができたなら……。教育にナイーヴに期待しすぎだといわれるかもしれませんが、わたしはそのような実践をこそ、より「よい」社会のために〝教育にできること〟といえるのではないかと考えています。

わたしたちの社会には、絶対的な正解のない、きわめて複雑な問題が山積しています。それゆえこれからの世代の若者たちにますます必要になってくるのは、それぞれの意見を考え合わせた上で、できるだけ皆が納得できる建設的な「第三のアイデア」を見出せる力です。「あちらかこちらか」で争うのでも、「正しいことなんて何もない」で済ませるのでもなく、どうすれば相互に「共通了解」を得られる考えを見出し合っていけるかと考えること。そのような思考の力こそ、これからの教育が育むべき〈教養＝力能〉といえるのではないか、わたしはそう考えています。

終　章　具体的ヴィジョンとプラン

最後に、これまでのおさらいを兼ねつつ、これからどのようにより「よい」教育をつくっていけるか、そのヴィジョン・プランを、短期的および中・長期的観点から提言したいと思います。

短期的ヴィジョン・プラン（〜二〇二〇年ごろ）

二〇一三年、一〇〜一五年後の教育のあり方を考える、内閣府の研究会に参画しました。ICTの発展に伴って進展するだろう、まさに教育の「個別化」がその一つの中心テーマでした（内閣府経済社会総合研究所二〇一三）。

この研究会でわたしに課されたのは、こうした「個別化」において、教育をどのように構想していくことを「よい」といいうるかという、まさに本書で論じてきたテーマについての発表でした。以下、この研究会でわたしが得たものも踏まえつつ、学びの個別化をよりよく推進するための短期的ヴィジョンを示していきたいと思います。

1　学びの個別化・協同化の充実

まず、次の学習指導要領改訂においては、学びの個別化に加えて協同化の充実を、これまで以上に大きな柱として位置づけます。第三章で論じたように、すべての子どもたちの実りある学びを保障するためには、「個別化」と「協同化」をセットにする必要があるのです。

第二章および第三章では、徹底的な「学びの個別化」（カスタマイズ）と、これに「自然発生的な学び合い」および「計画的な学び合い」を融合する、かなりラディカルな「個別化」と「協同化」の融合を提言しました。

しかしそれは、むしろ二〇〜三〇年後の長期的なヴィジョンといった方がいいでしょう。短期的には、「反転授業」などを取り入れつつ、徐々に「個別化」と「協同化」を融合していくことが望ましいかと思います。生徒一人ひとりが、個別に学習する機会を十分持った上で、クラスではその学びを「協同化」するのです。

2 学びの「個別化・協同化・プロジェクト化」に対応した教員養成

こうした学びの「個別化」「協同化」、そして「プロジェクト化」への学びのあり方の転換に伴って、教員養成のあり方もまた、抜本的に転換していく必要があります。

教員養成のカリキュラムは、わたしの知る限り、まだまだ学びの「個別化・協同化・プロジェクト化」に対応したものではありません。従来のいわゆる「チョーク&トーク」の授業方法を、まさにチョーク&トークのスタイルで講義する授業も少なくありません。

何度も述べてきたように、そのこと自体は一概に否定されるべきことではありません。丁寧な板書や子どもたちを惹きつける授業テクニックなどは、これからも必要ではあるでしょう。しかし今後、教師が、小・中・高（場合によっては大学）を問わず、学びの「個別化・協同化・プロジェクト化」を中心とした授業づくりを求められているのだとするならば、教員養成のあり方もまた、当然ながらこれに対応したものになっていかなければならないはずです。

第四章では、オランダがイエナプラン教育を実践するにあたって、最も力を入れたのが教員養成課程の改革であったことを述べました。本書で述べてきたような教育を実現するためにも、教員養成のあり方は、やはりその最も重要な鍵となるでしょう。

3　教育行政による「支援」の充実

教員養成課程だけでなく、現役教師をサポートするための機関や機能も、今後ますます重要になってきます。学びの個別化・協同化・プロジェクト化を推進するためには、教師一人ひとりの創意工夫がこれまで以上に重要になるからです。

そこで、第七章で少し触れた教育行政による「支援」を、今後ますます充実させる必要があるでしょう。学校や教員の「管理・監督」に加えて、教師の実践やさらなる成長のための「支援」を、教育行政の柱として明確に位置づけるのです。教育センターの設置・充実や、研修の充実、それも教師のやる気を最大化できるような、「自主」研修に対する何らかのサポートの充実など、「支援」に特化・重点化した機関・機能を、各自治体でより活発にしていく必要があるでしょう。

中・長期的ヴィジョン・プラン(二〇三〇〜四〇年ごろ)

1 学びのプロジェクト化の充実

学びの「個別化」「協同化」に加えて、二〇三〇年ごろまでには、「学びのプロジェクト化」を充実、さらにはこれを学びの核として位置づけます。現行の総合的な学習の時間を発展させる形で、オランダのイエナプラン教育のように、数週間ごと、場合によってはもっと長い期間をかけた「プロジェクト型の学び」を、カリキュラムの中核に据えていきます。

第五章で述べたように、高校入試、大学入試のあり方も、そのころには今とはずいぶんと違ったものになっているはずです。子どもたち、若者たちに求められるのは、画一的な学習内容の習熟度を競うことより、自らの問題を自分なりの仕方で探究していける力になっているでしょう。

2 カリキュラムの市民化

こうしたプロジェクト型の学びを中心とした教育を実現するためには、中央管理的なカリキュラムを、一五年から二〇年くらいかけて弾力化していく必要があります。子どもたちが自ら（あるいは教師の助けを得て）プロジェクトを計画し実行していく学びは、その内容や進度を事細かに決められるようなものではないからです。

前述したように、学校には、いわゆる学校文化になじみにくい文化階層の子どもたちや、強制的に勉強させられることが苦痛で、〝学びから逃走する子どもたち〟もたくさんいます。教育哲学者の小玉重夫《こだましげお》氏は、こうした背景を踏まえた上で、近年「カリキュラムの市民化」を訴えています。従来、国とアカデミズムとによって決定されてきたカリキュラムを、地域や学校、市民という、より教育現場に近い人たちの参加へと開いていくことが必要だというのです（小玉二〇一三、二〇四頁）。たしかに、そうすれば、教育内容や方法もまた、子どもたちにとってより必要かつ興味・関心の持てるものへと展開していける可能性が高まるでしょう。

第七章で少し触れた、「ケア」の教育哲学を主唱しているネル・ノディングズは、ある意味においてはさらにラディカルに、子どもたちもまたカリキュラム編成にかかわることを提案しています。「このような参加は、知的発達を促進するばかりでなく、民主的過程に知的に参加することができる市民の育成にもつながる」（ノディングズ二〇〇七、三一五頁）

というのです。たしかにこれもまた、勉強を〝やらされている〟のではなく、〈自由〉になるための力能を自ら学び取っているのだという実感を、子どもたちにより感じさせられる教育のあり方といえるかもしれません。

もちろん、しばしば論じてきたように、公教育の使命は、すべての子どもに十分な〈教養＝力能〉を育むことにあります。それゆえ、その責任を明記した学習指導要領は、撤廃するよりは、指針程度のものへと弾力化する方向で考えていく必要があるのではないかとわたしは考えています。

3 〈一般福祉〉のための学びのネットワーク化

二〇〜三〇年後の公教育の姿は、これまでとはかなり違ったものになっていることでしょう。

すぐれた実践知は、今日では中央で管理統制し切れるようなものではなく、自由な相互作用を通して自己組織化していくものになっています。第二章ではオンライン学習の衝撃について論じましたが、教育は今後、「学校」という囲いからより解き放たれ、自由にネットワーク化していくことでしょう。

とすれば、公教育の一つの重要な使命は、今後、このような自己組織化した〝学びのネットワーク〟を、〈一般福祉〉に資するよう〝再ネットワーク化〟することにあるといえるのではないか、わたしはそう考えています。

イヴァン・イリッチという思想家は、インターネットが登場する前、早くも一九七〇年ごろに、教育を学校に独占させるのではなく、自発的な学びのネットワークをそれに取って代わらせるべきだと訴えました。前に述べたように、制度化された学校（知）のゆえに、〝落ちこぼれ〟が生み出されたり、不平等の再生産が繰り返されたりしてしまっているからです（イリッチ一九七七）。それゆえ、学校を廃止し、それぞれの人がそれぞれの必要に応じて豊かな学びの機会を得られる「機会の網の目」（opportunity web）を張り巡らせよう、そうイリッチは主張したのです。

イリッチのアイデアは、今日におけるオンライン学習の発展や、いわゆる「オープン・エデュケーション」の流れを予見する、驚くべき先見の明です。しかしその一方で、もしも近い将来、イリッチがいうように学校を廃止し、（インターネットを通した）自発的な学びのネットワークを主流にしたとするならば、現状においては、むしろイリッチが批判した、不平等の再生産をさらに深刻化させてしまうことになるでしょう。公的な下支えなしに教育を〝民間〟に任せれば、受けられる教育の質が、家庭的・経済的条件によって大きく異なってしまうだろうからです。

そこでわたしの考えでは、営利、非営利を問わず、今後ますます充実していくだろうさまざまな学びのネットワークを、公教育が〈一般福祉〉に適うよう〝再ネットワーク化〟する必要があります。自己組織化していく良質の教育コンテンツを公教育に取り込みながら、その学びのネットワークを、教育機会の不平等や格差の拡大には決して結びつけないよう制度的整備を行うのです。未来の公教育には、状況に応じてその具体的なあり方を案出していくことが求められることになるでしょう。

未来の教育の姿を、今ありありと思い浮かべるのは困難です。しかしその基本ヴィジョンとプランなら、今から十分立てられます。

これまで述べてきた通り、その基本軸は次の三つです。①学びの「個別化・協同化・プロジェクト化」の推進。②教師の実践と成長を支えるための、教育行政による「支援」の充実。③自己組織化する学びのネットワークの、〈一般福祉〉促進のための〝再ネットワーク化〟。

今後、教育は、だれも見たことがないようなものへと、ゆっくりと、しかし確実に変わっていくことでしょう。しかしどれだけ激しい変化の中にあっても、わたしたちが見失ってはならない教育の「本質」がある。何度でも繰り返しますが、すべての子どもたちに〈自由の相互承認〉の感度を育むことを土台に、〈自由〉になれるための〈教養=力能〉を育むこと。これが教育の「本質」です。

このことにつねに立ち返ることさえできれば、わたしたちは、この本質を達成するためにはどうすればいいのか、子どもたちや彼らを取り巻くさまざまな状況に応じて、いつの時代においても、柔軟に、そして力強く、教育のあり方を考え合っていくことができるはず。わたしはそう確信しています。

あとがき

本書は、この数年間わたしが考えてきた、これからのより「よい」教育の具体的な構想・実践のあり方を、ひとまずの総まとめとするつもりで書き下ろしたものです。

教育とは何か、そしてそれは、どうあれば「よい」といいうるか。前著『どのような教育が「よい」教育か』（講談社選書メチエ、二〇一一年）でこの問いに挑み、わたしとしてはさしあたり原理的な〝答え〟を解明できたのではないかと考えていますが、その後、ではそのような教育を、どのように構想・実践していけば「よい」のか、さまざまな観点から具体的・現実的に論じる必要を強く感じていました。またそのことを要望する声も、多くの方々からいただいていました。

前著が原理（理論）編だとするならば、本書はその実践編というべきものです。もし、本書で論じた教育の〝原理〟をもっと深く知りたいと思う方がいらっしゃれば、前著もあわせてお読みいただければ嬉しく思います。

「そろそろ実践編を書くべき時期なんじゃないか？」とお話をくださったのは、前著でもお世話になった、講談社の山崎比呂志さんでした。わたしの思索がどの程度進んでいるか、より正確にいうと、あと一歩で思索がまとまりそうだというそのタイミングを、いつもまるで見透かしたように企画を提案してくださる山崎さんの存在なくして、本書を一気にまとめ上げることはできなかっただろうと思います。

実はわたしの教育学研究の始まりは、本書でも論じたジョン・デューイや、彼に大きな影響を与えたラルフ・ウォルドー・エマソンといった思想家の、「新教育」思想の研究でした。その後〝哲学的〟には彼らの思想に対して若干批判的にもなっていくのですが、しかし教育理論としては、特にデューイのそれは、現代においてもなおきわめてすぐれたものだと考えています。

わたしをそのような教育学研究の道へと誘ってくださったのは、日本におけるデューイ教育思想研究の第一人者、市村尚久《いちむらたかひさ》・早稲田大学名誉教授でした。市村先生から学んだ「新教育」の理論と実践のいわば精神は、本書においても脈々と流れているのではないかと思っています。

しかしそれ以上に、わたしは市村先生から、(教育)学者としての重要な研究姿勢を受け継ぎました。

それは、学問は「党派の論理」「運動の論理」ではない、ということです。学問は、あくまでも学理をこそ探究するものです。そして教育学の場合、それをできるだけ現実の教育に資するものにしていく必要がある。

本書でしばしば言及した通り、教育はとかくさまざまな対立が渦巻く世界です。いつの時代にもさまざまな「党派」が現れ、〝われわれ〟こそが正しく〝あいつら〟は間違っているのだと、悲しく不毛な対立を繰り広げています。教育「学」においてさえ、それは例外ではありません。

本書では、そうした教育をめぐるさまざまな不毛な対立を克服し、教育を建設的に考え合い構想し合うための道筋もまた明示しました。つまり、教育の「本質」を明らかにした上で、その本質を達成するための方法を、状況に応じて協同させ合う道筋を。

さまざまな利害関係を持つ「党派の論理」にとっては、そんな〝考え方〟などどうでもいいことかもしれません。しかし、それがある種排他的な「党派」だろうが何だろうが、わたしはこれからも、さまざまな研究者・実践者の知見に学び、それを持ち寄り、そうすることで、より「よい」教育を構想し合っていけるのだということを示し続けたい。そしていつの日か――特にまだ利害関係をあまり持たない若い人たちには――その思いはきっと響いてくれるはずだと信じています。その一助に、このささやかな本がなってくれれば。そう願いながら、本書を書きました。少しでも、その試みが成功していれば嬉しく思います。

本書執筆にあたっては、多くの方々からのお力添えをいただきました。

恩師、市村尚久先生には、改めて心より御礼を申し上げます。

杉並区教育委員会・済美教育センター調査研究室長の山口裕也さんには、草稿段階で、いつもながら懇切かつ的確なコメントをいただきました。

オランダの教育については、大学院時代の先輩であり、また早稲田大学助手時代の同僚でもある、吉田重和さんからご助言をいただきました。

講談社の山崎比呂志さん、所澤淳さんには、何度も修正原稿をお読みいただき、そのたびに有意義なアドバイスをいただきました。皆さんに心から感謝いたします。

最後に、私事ながら、本書執筆中に第二子を授かりました。出産に加え、熊本大学への赴任のため、東京からの引越しも重なり慌ただしい日々を過ごしましたが、当初の計画通りに本書を書き終えることができたのは、ひとえに家族のおかげです。妻と、産前産後を支えてくださった義父母、そして二人の娘に、心から感謝します。

二〇一四年二月

苫野一徳

参考文献・引用文献

天野郁夫　二〇一三『大学改革を問い直す』慶応義塾大学出版会
アレント、ハンナ　二〇〇七『責任と判断』ジェローム・コーン編、中山元訳、筑摩書房
石井英真　二〇一〇「学力論議の現在――ポスト近代社会における学力の論じ方」松下佳代編著『〈新しい能力〉は教育を変えるか――学力・リテラシー・コンピテンシー』ミネルヴァ書房
市川昭午　二〇〇九『教育基本法改正論争史――改正で教育はどうなる』教育開発研究所
市川伸一　二〇〇二『学力低下論争』ちくま新書
市川伸一　二〇〇八『「教えて考えさせる授業」を創る――基礎基本の定着・深化・活用を促す「習得型」授業設計』図書文化社
イリッチ、イヴァン　一九七七『脱学校の社会』東洋・小澤周三訳、東京創元社
及川平治　一九七二『分団式動的教育法』明治図書出版（世界教育学選集）
尾木直樹　二〇〇二『「学力低下」をどうみるか』ＮＨＫブックス

ガードナー、ハワード　二〇〇一『MI：個性を生かす多重知能の理論』松村暢隆訳、新曜社
金子元久　二〇〇七『大学の教育力――何を教え、学ぶか』ちくま新書
苅谷剛彦　二〇〇八『学力と階層――教育の綻びをどう修正するか』朝日新聞出版
カーン、サルマン　二〇一三『世界はひとつの教室』三木俊哉訳、ダイヤモンド社
菅野仁　二〇一〇『教育幻想――クールティーチャー宣言』ちくまプリマー新書
木下竹次　一九七二『学習原論』明治図書出版（世界教育学選集）
キルパトリック、ウィリアム・H　一九六七『プロジェクト法』市村尚久訳、明玄書房
工藤和美　二〇〇四『学校をつくろう！――子どもの心がはずむ空間』TOTO出版
クリステンセン、クレイトン、マイケル・ホーン、カーティス・ジョンソン　二〇〇八『教育×破壊的イノベーション――教育現場を抜本的に変革する』櫻井祐子訳、翔泳社
グリーンバーグ、ダニエル　二〇〇六『世界一素敵な学校――サドベリー・バレー物語』大沼安史訳、緑風出版
小玉重夫　二〇一三『学力幻想』ちくま新書
コリンズ、アラン、リチャード・ハルバーソン　二〇一二『デジタル社会の学びのかたち

——教育とテクノロジの再考』稲垣忠編訳、北大路書房
コーン、アルフィ　一九九四『競争社会をこえて——ノー・コンテストの時代』法政大学出版会
コンドルセ　一九六二『公教育の原理』松島均訳、明治図書出版
西條剛央　二〇〇九『研究以前のモンダイ——看護研究で迷わないための超入門講座』医学書院
斎藤貴男　二〇〇四『教育改革と新自由主義』寺子屋新書
佐藤学　一九九九『教育改革をデザインする』岩波書店
佐藤学　二〇〇六『学校の挑戦——学びの共同体を創る』小学館
佐藤学　二〇〇九a「学力問題の構図と基礎学力の概念」東京大学学校教育高度化センター編『基礎学力を問う——21世紀日本の教育への展望』東京大学出版会
佐藤学　二〇〇九b「学ぶ意欲の時代から学ぶ意味の時代へ——問われる『質と平等』の同時追求」佐藤学・澤野由紀子・北村友人編『揺れる世界の学力マップ』明石書店
佐藤学　二〇一二『学校を改革する——学びの共同体の構想と実践』岩波ブックレット
佐藤学・勝野正章　二〇一三『安倍政権で教育はどう変わるか』岩波ブックレット

志水宏吉　二〇〇五『学力を育てる』岩波新書
志水宏吉　二〇一二『検証　大阪の教育改革――いま、何が起こっているのか』岩波ブックレット
志水宏吉・高田一宏（編著）　二〇一二『学力政策の比較社会学【国内編】――全国学力テストは都道府県に何をもたらしたか』明石書店
シュタイナー、ルドルフ　二〇〇三『子どもの教育』高橋巖訳、筑摩書房
ショーン、ドナルド・A　二〇〇七『省察的実践とは何か――プロフェッショナルの行為と思考』柳沢昌一・三輪建二監訳、鳳書房
杉江修治　二〇一一『協同学習入門――基本の理解と51の工夫』ナカニシヤ出版
杉原真晃　二〇一〇「〈新しい能力〉と教養――高等教育の質保証の中で」松下佳代編著『〈新しい能力〉は教育を変えるか――学力・リテラシー・コンピテンシー』ミネルヴァ書房
セン、アマルティア　二〇〇〇『自由と経済開発』石塚雅彦訳、日本経済新聞出版社
セン、アマルティア　二〇〇六『人間の安全保障』東郷えりか訳、集英社新書
竹田青嗣　二〇〇四『人間的自由の条件――ヘーゲルとポストモダン思想』講談社

竹田青嗣　二〇〇九『人間の未来――ヘーゲル哲学と現代資本主義』ちくま新書
田中耕治　二〇一〇『新しい「評価のあり方」を拓く――「目標に準拠した評価」のこれまでとこれから』日本標準ブックレット
デューイ、ジョン　一九七五『民主主義と教育（上）』松野安男訳、岩波文庫
デューイ、ジョン　一九九八『学校と社会・子どもとカリキュラム』市村尚久訳、講談社学術文庫
土井隆義　二〇〇八『友だち地獄――「空気を読む」世代のサバイバル』ちくま新書
土井隆義　二〇〇九『キャラ化する／される子どもたち――排除型社会における新たな人間像』岩波ブックレット
トッド、エマニュエル　二〇〇九『デモクラシー以後――協調的「保護主義」の提唱』石崎晴己訳、藤原書店
苫野一徳　二〇一一『どのような教育が「よい」教育か』講談社選書メチエ
苫野一徳　二〇一三『勉強するのは何のため？――僕らの「答え」のつくり方』日本評論社
トルストイ　一九五八『国民教育論』（世界教育宝典）昇曙夢訳、玉川大学出版部

内閣府経済社会総合研究所　二〇一三『「回復力のある社会の構築に求められる科学技術イノベーションに関する調査研究」研究会　報告書』
内藤朝雄　二〇〇九『いじめの構造――なぜ人が怪物になるのか』講談社現代新書
西川純（編）　二〇一〇『クラスが元気になる！　『学び合い』スタートブック』学陽書房
西田正規　二〇〇七『人類史のなかの定住革命』講談社学術文庫
西村拓生　二〇一三『教育哲学の現場――物語りの此岸から』東京大学出版会
ノディングズ、ネル　一九九七『ケアリング：倫理と道徳の教育――女性の観点から』立山善康他訳、晃洋書房
ノディングズ、ネル　二〇〇七『学校におけるケアの挑戦――もう一つの教育を求めて』佐藤学監訳、ゆみる出版
パーカースト、ヘレン　一九七四『ドルトン・プランの教育』赤井米吉訳、明治図書出版
バーンスティン、バジル　二〇〇〇『〈教育〉の社会学理論』久冨善之他訳、法政大学出版局
広田照幸　二〇〇三『教育には何ができないか』春秋社
広田照幸　二〇〇九『格差・秩序不安と教育』世織書房

広田照幸　二〇一一「能力にもとづく選抜のあいまいさと恣意性——メリトクラシーは到来していない」宮寺晃夫編『再検討 教育機会の平等』岩波書店
フーコー、ミシェル　一九七七『監獄の誕生——監視と処罰』田村俶訳、新潮社
ブルデュー、ピエール、ジャン＝クロード・パスロン　一九九一『再生産』宮島喬訳、藤原書店
ボウルビィ、ジョン　一九九三『母と子のアタッチメント——心の安全基地』二木武監訳、医歯薬出版
ホッブズ、トマス　一九七九『リヴァイアサン』(世界の名著28) 宗片邦義訳、中央公論社
堀真一郎　二〇〇九『増補　自由学校の設計——きのくに子どもの村の生活と学習』黎明書房
ボルノー、オットー・フリードリヒ　一九八七『人間学的に見た教育学』浜田正秀訳、玉川大学出版部
本田由紀　二〇〇五『多元化する「能力」と日本社会——ハイパー・メリトクラシー化のなかで』NTT出版

本田伊克　二〇一三「〈強者／弱者〉を超えるペダゴジーの社会学――市場によるアイデンティティの分断からその共同的・創造的結合へ」久冨善之他編『ペダゴジーの社会学――バーンスティン理論とその射程』学文社
松下佳代　二〇〇七『パフォーマンス評価――子どもの思考と表現を評価する』日本標準ブックレット
嶺井正也（編著）二〇一〇『転換点にきた学校選択制』八月書館
宮本健市郎　二〇一一「アメリカ進歩主義教育運動における学校建築の機能転換――教師中心の教場から子ども中心の学習環境へ」渡邊隆信編『新教育運動期における学校空間の構成と子どもの学習活動の変化に関する比較史的研究』（平成二〇〜二二年度科学研究費補助金（基盤研究〔C〕）研究成果報告書）
森直人　二〇一一「個性化教育の可能性――愛知県東浦町の教育実践の系譜から」宮寺晃夫編『再検討　教育機会の平等』岩波書店
森田洋司　二〇一〇『いじめとは何か』中公新書
柳治男　二〇〇五『〈学級〉の歴史学――自明視された空間を疑う』講談社選書メチエ
山口裕也　二〇一一「公教育の『正当性』原理に基づく実践理論の展開――地方自治体教

育行政における実践理論の基本型としての〈支援〉」『よい教育とは何か：構造構成主義研究5』北大路書房

山口裕也・苫野一徳・西條剛央　二〇一一「[鼎談] よい教育とは何か――公教育の原理が『現場』を変える」『よい教育とは何か：構造構成主義研究5』北大路書房

山竹伸二　二〇一一『「認められたい」の正体――承認不安の時代』講談社現代新書

ルソー、ジャン＝ジャック　一九五四『社会契約論』桑原武夫・前川貞次郎訳、岩波文庫

渡辺聰子・アンソニー・ギデンズ、今田高俊　二〇〇八『グローバル時代の人的資源論――モティベーション・エンパワーメント・仕事の未来』東京大学出版会

リヒテルズ直子　二〇〇六『オランダの個別教育はなぜ成功したのか――イエナプラン教育に学ぶ』平凡社

講談社現代新書　2254

教《きょう》育《いく》の力《ちから》

二〇一四年三月二〇日第一刷発行　二〇二五年七月二日第一三刷発行

著者　苫野《とまの》一徳《いっとく》

発行者　篠木和久

発行所　株式会社講談社

東京都文京区音羽二丁目一二―二一　郵便番号一一二―八〇〇一

電話　〇三―五三九五―三五二一　編集（現代新書）

〇三―五三九五―五八一七　販売

〇三―五三九五―三六一五　業務

装幀者　中島英樹

印刷所　株式会社KPSプロダクツ

製本所　株式会社KPSプロダクツ

定価はカバーに表示してあります　Printed in Japan

N.D.C.954　253p　18cm

ISBN978-4-06-288254-5

「講談社現代新書」の刊行にあたって

教養は万人が身をもって養い創造すべきものであって、一部の専門家の占有物として、ただ一方的に人々の手もとに配布され伝達されうるものではありません。

しかし、不幸にしてわが国の現状では、教養の重要な養いとなるべき書物は、ほとんど講壇からの天下りや単なる解説に終始し、知識技術を真剣に希求する青少年・学生・一般民衆の根本的な疑問や興味は、けっして十分に答えられ、解きほぐされ、手引きされることがありません。万人の内奥から発した真正の教養への芽ばえが、こうして放置され、むなしく滅びさる運命にゆだねられているのです。

このことは、中・高校だけで教育をおわる人々の成長をはばんでいるだけでなく、大学に進んだり、インテリと目されたりする人々の精神力の健康さえもむしばみ、わが国の文化の実質をまことに脆弱なものにしています。単なる博識以上の根強い思索力・判断力、および確かな技術にささえられた教養を必要とする日本の将来にとって、これは真剣に憂慮されなければならない事態であるといわなければなりません。

わたしたちの「講談社現代新書」は、この事態の克服を意図して計画されたものです。これによってわたしたちは、講壇からの天下りでもなく、単なる解説書でもない、もっぱら万人の魂に生ずる初発的かつ根本的な問題をとらえ、掘り起こし、手引きし、しかも最新の知識への展望を万人に確立させる書物を、新しく世の中に送り出したいと念願しています。

わたしたちは、創業以来民衆を対象とする啓蒙の仕事に専心してきた講談社にとって、これこそもっともふさわしい課題であり、伝統ある出版社としての義務でもあると考えているのです。

一九六四年四月　野間省一